大展好書 好書大展

大展好書 好書大展

白色漫談

蘇燕謀／編著

大展出版社有限公司
DAH-JAAN PUBLISHING CO., LTD.

1 「白」是什麼樣的色彩？它能代表什麼？

▼當「白」從你的腦際閃現，你會聯想到什麼？是白雪、白雲、白兔、護士、白宮……還有聖誕夜、襯衣、白手巾、新娘禮服、白色康乃馨？除了這些，還有很多很多，多得說不完，數不盡。那麼讓我們一樣一樣慢慢地來數說吧！

前面提及的，都是你能觸摸到的具體白色印象。除了這些，你若肯繼續用心的深思，你會發現那是一種比較特殊的觀念，或所有人都共同具有的一種想法。然而這種約定俗成的意念逐漸固定之後，就在社會中變成具有象徵性意義的代表。

就像雪、護士、新娘禮服代表的是高雅、純潔清秀的白。此現象在心理學上稱為「色彩象徵法」。在人類思想反應上，有關白色的聯想就這樣由具體的發展成為具有抽象意義的印象。

▼通常我們認為白色代表明亮、純真、潔白、神聖、純樸、清淨以及信念。古代人們用白酒敬神；更將白蛇白馬視為神聖的動物。關於這些故事我們在後面有機會再談。

▼在古典文學的詩歌中，有許多藉白色來表達作者所要代表的意義。因此若不懂白色所象徵的意思，就很難了解詩句的真正含意。也許我們需要從「色彩與文學」的觀點重新衡量古典文學的內容。

▼有關白色所代表的觀念，不僅東方人有特殊意義，西方人也同樣有共通的象徵。最常見的是西方人常用的花語。他們以白百合象徵天真、純潔，每當復活節時就用白百合來裝飾聖母瑪琍亞的聖壇，象徵聖母神聖、純潔的慈愛。此外白色所代表的意義還有很多，留待你慢慢的發掘。

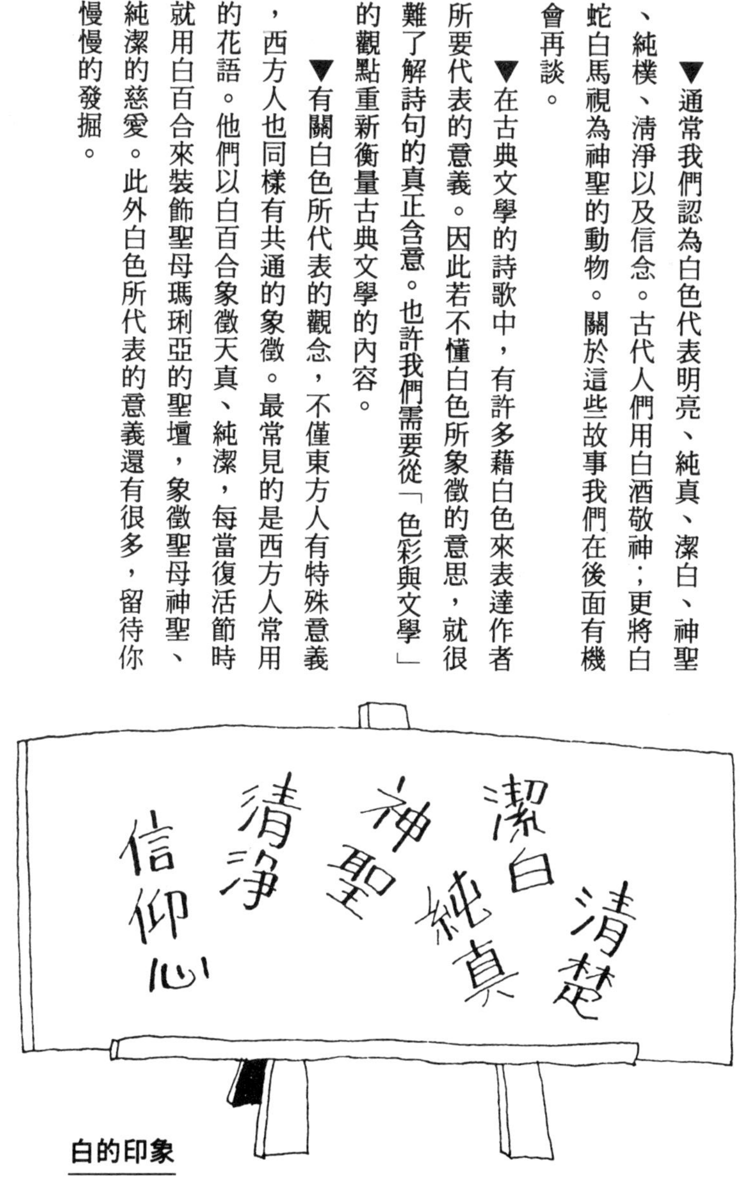

白的印象

2

白色所代表的意義無數，你所知的有多少？

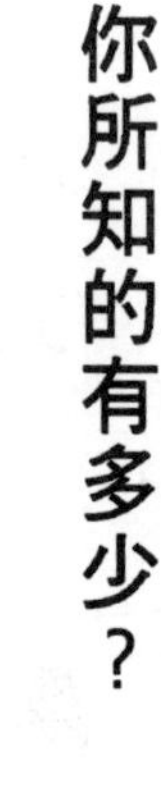

▼純白、小白、大白……這些不是我家的小狗。但不論你如何使用「白」這個字眼，白依舊代表白，只是你運用在不同的地方，它便產生了不同的意義。

▼例如，雪和霜所代表的白色，若用在方位時，由於白色的神聖，使我們想到極樂的西方。若用在四季，白又代表落葉茫然，似爽朗又似悲悽的秋，日本詩人北原白秋的白秋二字就是由此而來的。

但更奇妙的是在人體五臟中，白色卻成了肺臟的表徵。

▼在光線方面，白色代表明亮暖和的陽光。根據物理學的研究，陽光包括彩虹所有的七彩光。

換句話說，白光是由太陽光的不同漫長光線全部反射所合成，不偏紅色或藍色的光，這真是神奇的化合。

▼另外白色也有清白、無垢的含意。婚禮中新娘所

穿的白色禮服，就是代表新娘的清白純潔。人們為情為義而奮不顧身時，都穿白色衣服來表示他們的清高。二次大戰時日本神風特攻隊飛行員喜歡帶白色的絹製圍巾的原因也是為此。

▼白色與黑色相對，代表著清白、正義與優秀。刑事案中，嫌犯若是清白無辜就稱為「白」，若嫌疑重大即稱為「黑」。此外對某種事物完全陌生的人，日人稱之為「素人」，也是由「白人」演變而來的字詞。意思是毫無閱歷及經驗的外行人士。

什麼叫做白

3 古代人們常以動物和色彩來表示東南西北的方位。那麼，白色代表的是什麼方位呢？

▼相信大家都知道日本的國技是大力士的角力賽。但可能很少人知道圓形土儀的賽場四周有五位審判，而其中四者的位置便以不同的顏色來代表。這四種顏色你能正確的回答嗎？

那就是白、藍、紅、黑四色。

▼我們已知四方的代表顏色，但它們分別表示什麼含意如何？事實上，最古老的方式是將動物神奉伺於四方用來保護神聖的賽場，後來因時代的演變，逐漸簡化，於是今日僅以四種不同顏色的飾物做為代表，例如，白色即代表白虎。

這種習俗還是我國的宗教信仰流傳到日本所形成的呢！

▼一九七三年在日本被發現的高松塚古幕內壁上，畫有代表四種神的動物，他們分別是：

東　青龍（藍）　表龍神。

西　白虎（白）　幻想中的白虎。

南　朱雀（紅）　紅色大孔雀或像鳳凰的靈鳥。

北　玄武（黑）　龜蛇互纏的神獸。

這四種神被畫在墓壁的四方，藉以保護死者，使靈魂不受侵擾，永得安息。

4 不僅新娘穿白色禮服，死人也穿白色衣裳！

▼身穿潔白的結婚禮服，頭插白色花戴白面紗，手著白手套持白色花束，腳穿白色高跟鞋；這種全身雪白的裝扮是待字閨中的少女所嚮往的。然而穿上紅色禮服戴上藍色面紗又有何不可呢？這是一種不成文的法則，你雖不會因違反它而受罰，但人們卻都樂於遵循這種社會中的默契。

在古羅馬時代和中世紀的基督教徒，新娘必須著鮮紅色的禮服和面紗步入禮堂。而你依舊能想見她們是美麗可人的！

▼據說從顏色艷麗的禮服演成全副純白的單一色彩，是由英國伊利莎白女王時代（一五五八～一六〇三）開始的。在此之前基督徒的婚禮中，白色和紫色是禮服的正統色調，在逐漸改用白色之後便一直延用至今。或許人們一致認為白最能代表新娘的美麗與純潔吧！

▼在日本，早期也有一種全身潔白的結婚衣裳在貴族間流行。新娘所穿的內衣、外衣、腰帶、外套以至鞋襪都是白色。這種風氣始於鎌倉時代，新娘全身潔白的打扮除了表示清白之外，並暗示女子婚後隨夫家家風可染製成任何一種顏色的柔順婦德。

▼然而白色衣裳並非婚禮中的專用品。日本武士於切腹自殺或為主人報仇時，也著純白衣裳。死人在收棺時也要換上白色衣服，同時古代參加葬儀的死者家眷一律穿戴白色衣帽。

▼如此，日人一方面視白色為神聖，敬拜白蛇。另一方面又認為白色是禁忌，而不用白面巾及白棉被。同時認為白手巾是離別的誌物，因此在選擇禮品時，白手巾是絕對禁止的。這和西方人對白色鬱金香（tulip）的禁忌心理是一致的。

白色服裝

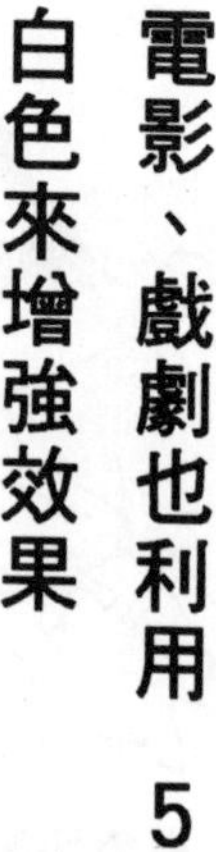

5 電影、戲劇也利用白色來增強效果

▼白色是純潔、神聖的代名詞。戲劇界的俊美男女都和白色有關。例如「白面書生」帶給人文質彬彬、手無縛雞之力的觀感。而「白宮」卻是權威、神聖的代表，縱使內部腐朽不堪、包藏著陰謀詭計，人們也不願輕易相信。

▼電影、戲劇也常常利用這種白色的效果。他們將悲劇的男主角臉部塗的慘白，穿上白色劇服，再配以黑暗的背景，加強了哀怨悲切的戲劇效果。

▼日本有名的『忠臣藏』舞台劇，正是利用白色豐富了整個戲劇的悲慘氣氛。被迫切腹身亡的藩主淺野內匠頭，穿著白衣塗抹蒼白的臉部，強調了滿腹哀憤。四十七位義士攻打仇家的當日，正是雪片紛飛的嚴寒冬天，而仇人吉良上野介卻躲在堆滿黑炭的柴房，最後終難免斬首的惡報。

這些都是充分利用黑白對比來增加正義和邪惡的對抗效果。這也就是為什麼為正義出生入死的俠士常有白色坐騎的原因了。

▼但是在我國京戲中，飾演正義的主角臉譜通常是紅色，而壞人則塗以白色。那是因為我們向以紅、黃、藍、白、黑五色為基本色彩，因此除黑、白以外也廣用其他顏色。

▼利用黑白對比可以強調善惡的對立。柴可夫斯基的芭蕾舞劇「天鵝之死」就是一個最明顯的例子。變為白天鵝的奧迪特公子代表著純潔英俊，而以黑天鵝姿態出現的魔鬼之女奧笛爾則代表黑暗邪惡。同時白色會使人官能平和安詳。畫在黑紙上的白色圓點比畫在白紙上的黑色圓點，看起來要大五分之一，你相信嗎？

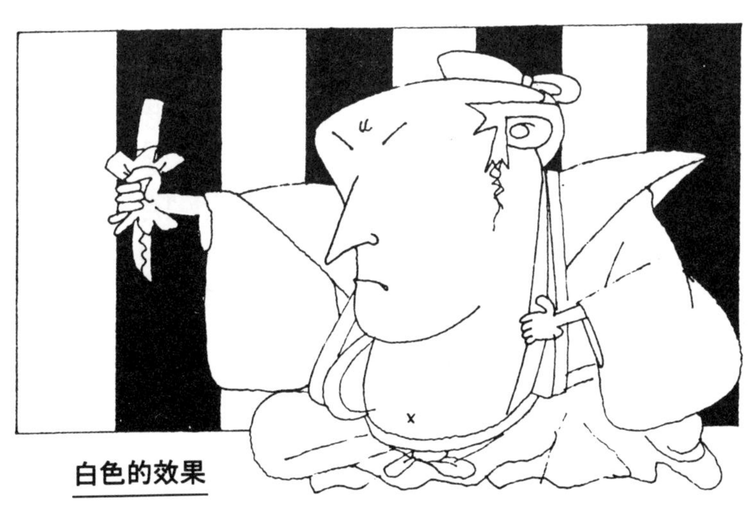

白色的效果

6 充滿浪漫氣息強調愛情和正義的白色文學是什麼？

▼近代小說題名有「白」的並不多。而日本作者合辦的雜誌『白樺』是作家志賀直哉和武者小路實篤等人受到托爾斯泰的影響，為提倡「正義與道德」所創刊的。他們不僅在文學方面標榜正義，同時企圖在美術方面推廣這種理想。

▼雜誌『白樺』發行於明治末期至大正十二年之間，不過在此之前另有一些文人組織「白百合」及「白菊會」的團體以提倡浪漫主義，且從詩歌方面積極進行活動。

▼因此在詩歌方面有「白」字為題的不在少數。例如，歌集有齊藤茂吉的『白桃』、『白色的山』，以及與謝野晶子的『白櫻集』，詩集有薄田泣董的『白玉姬』、『白羊宮』，及三木露風的『白手的獵人』等。也許是藉白字給人的清新印象所命名的。

▼戰後的小說題名有「白」字的就更多了。例如，

遠滕周作的『白人』、石川淳的『白頭吟』、阿部知二的『白色之塔』、上林曉的『白色屋形船』、小沼丹的『黑白貓』、高橋和己的『白色墓碑』、坂上弘的『白路』及山崎豐子的『白色巨塔』等。

▼但這些小說的內容和詩歌集不同，他們大多屬於陰慘悲哀的作品。『白色巨塔』揭發了醫學界的腐敗和陰謀，『白人』則描寫主角在納粹統治下為虎作倀，終自覺本身離棄正道的行為猶如背叛耶穌的猶大，而受到良心苛責的過程。

▼尤其像『白色屋形船』用白色表現死亡的恐怖陰影，描寫刻畫入骨，是相當出色的作品。它描寫一位臨死的老人夢見他的特別護士駕著白色屋形船（死亡使者）迎接他。於是他一連串的想到白衣天使、白色十字架、白色城堡，以及白色的死亡，其意境富於哲理，雖頗難解，卻是值得一讀的好書。

白的文學

7

外行人用白色畫出陽光，內行的畫家卻一直追求「何謂白色」的答案

▼畫家魯賓斯說：「白色是黑影的敵人。」而安格爾也曾說：「你們必須把白色放在黑影中。」這兩近代大畫家似乎各有不同的見解，但事實上他們都是在強調白色對繪畫的重要性。

▼因為白色和黑色同屬無色，所以白黑兩者都會因對比的強弱及用法的適當與否，影響四周其他色調的視覺感受。如何將白色運用得宜，也許是畫家們最感困擾的一件事。

▼當你在作畫時，你可能會用最白的顏色來表現畫面上受光最多的部份，這種明暗的表現，正是畫家們最傷腦筋的問題，也是他們不斷追求的更高技巧。其中表現突出而對後世印象派畫家影響最大的，當首推十九世紀最傑出的風景畫家脫爾諾及其作品「戰艦鐵美雷爾號」。

▼畫家們所說的印象派究竟是什麼？那原是一種人類思維的抽象意念。簡單的說，像莫奈、皮沙羅、西斯茉、以及塞尙、雷諾瓦、狄加等畫家們企圖描繪大氣和光線所造成的色彩變化，而創出的畫風便是一例。據說莫奈和皮沙羅因見脫爾諾不使用白色及灰色尙能表現雪景，而大受感動，所以導致印象派的發跡。

▼塞尙曾說：「橄欖樹和松樹的葉子一年四季都呈綠色。因為陽光太強烈，各種物體都留下它的影象，而且不僅有白、黑的對比，好像也有藍、紅、褐、紫等色的影象。」雷諾瓦也曾說：「有一天早上，一位同仁因用完了黑色顏料而臨時以藍色顏料來代替。印象主義的畫派就這樣產生了。」他們也就因此改變了對無彩色（黑白）的觀感。

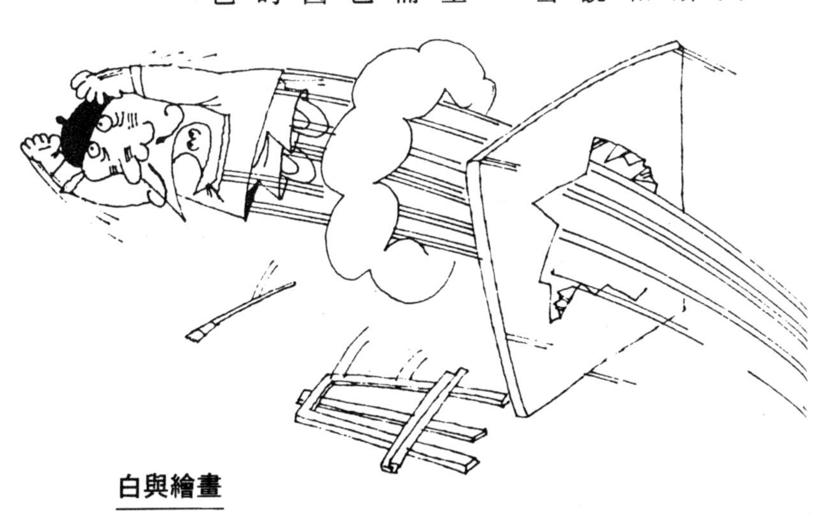

白與繪畫

8

白色顏料是什麼東西製成的？這其中存在著很長的演化過程

▼你有沒有想到過你平時繪畫時，所用的白色顏料是什麼東西製成的？人類為使畫面更加生動，在改良顏料色調方面經歷了一段相當長久的奮鬥過程。

▼古代壁畫的白色部份，大多使用白色粘土。隨著時代的進步，製造顏料的原料也漸漸改良，種類不斷的增加，除使用製造化妝品的鉛白以外，可能也使用過樹木的果實，但最普遍採用的是胡粉。胡粉是將白色貝殼粉碎後再加入膠水而成的。不過這種白色顏料並不理想，因為加入膠水的顏料呈半透明狀態，而減弱了白色的特殊效果。

▼西方國家因油畫比較發達，所使用的白色顏料多數是以油劑溶合金屬化合物而成。鉛白（Zink white）是使用亞鉛華製成的，亞鉛華又叫做亞鉛白，是亞鉛的氧化物，它的使用始於十八世紀。此外銀白（Silver

White）也是鉛白製成的，但它最大的缺點是對人體有害。鈦白（Titan white）是以氧化鈦為主要成分製成，直到二十世紀後才被製造使用，目前是不可缺少的白色顏料。

▼製造白色顏料的原料有上述這麼多種，那麼黑色顏料又是用什麼原料製成的呢?在此順帶一提，黑色顏料大部份由碳製成。煤煙製成的黑墨，正是代表性的產品。

▼其次我們來談一些比較特殊的原料。最普通的是木炭或乾草燒成的炭。白色陶器大多用這種原料來燒成白色。只要把木炭或草炭按一定比率混入粘土，塗在陶器表面，然後在一千三百度的高溫下予以燒結，就變成灰白色的陶器了。

白色繪具

9 你知道彩色電視中白色影像是如何顯現的嗎？

▼電視這種傳播工具的發明至今已有三十多年了，初期的電視和電影在色彩的運用上僅是單調的黑白二色。但發展至今，業者不僅廣泛使用各種繽紛色彩，同時也日益講求音響的立體化。

▼那麼，電視的彩色影像是如何產生的呢？彩色電影只是把軟片加以染色便可，但利用電波播選的電視，是不能使用軟片或彩色電波來製造色彩的。電視發光的原理和日光燈的原理相同，都是利用電子來衝擊螢光物質使其發光。所以在電視機的螢光幕上塗上會顯現紅色或綠色的螢光物質，使它感受光的刺激而將色彩呈現於電視螢幕上，便是我們所見的美麗色彩了。

▼不過問題在於應使用哪些顏色呢？當然顏色種類越多畫面越艷麗，但相對的也增加了零件組合的複雜度及資金的消費，所以一般多以三原色為基本。所謂三原

色在美術繪畫中指的是藍、紅、黃三色，這三色經自由調配便可形成所有物體的色像。彩色印刷也是運用這種原理加上黑色來印成各種美麗的彩色圖。所不同的是電視上三原色的運用是以光代替顏料，也就是說用光的藍、紅、綠三原色光來取代。

▼若將這三種強度相等的有色光照射在白銀幕上，紅光和藍光的重複部份會變成藍紫色，藍光和綠光重複部份會變成藍綠色，而紅光和綠光重疊後就會變成黃色。至於三光重合處即出現白色。因為二種有色光混合時，和顏料的色彩調和呈相反現象；它能顯出比原色更淡的色彩，電視就是利用這種原理來製造白色影像。

▼那麼彩色電視的黑白又將如何顯像呢？很簡單，當所有光線消失時就是黑色的誕生。換句話說，布朗管的不發光部份就是螢光幕上的黑色。

藍紅…綠

藍紅…黃

白色光

10 五彩煙火是金屬燃燒的顏色，白色煙火是什麼物體燃燒所致的呢？

▼每年國慶日淡水河邊的慶祝煙火中彩色繽紛的火花有紅、綠、黃、金及白等各色，令人眼花撩亂，嘆為觀止。這多采多姿的色彩是如何製造出來的呢？

▼白色的光是一種能夠完全反射的光線。因為它是紅、藍、黃等有色光混合而成的。與油畫中顏料調配原理相反。那麼煙火中的白色又是依哪一種原理所構成的呢？

▼首先我們必須了解物質在燃燒時所發生的火焰顏色的關係。你是否注意到火焰具備各種不同的顏色？瓦斯燃燒時的火焰會因空氣的多寡而忽藍忽紅，如果再加上灰塵的侵入就會使火焰呈現黃色。電車的引電架和電線摩擦時也會發出青色火花，這種火焰的色彩是含在瓦斯中的一氧化碳或鈉化合物以及電線的銅燃燒所產生的。因此，各種金屬燃燒時都將發生固定顏色火光的現象

，我們稱之為「焰色反應」。例如，鈉鹽是黃色，鉫鹽是紅色，鈣鹽是橙黃色。這也正是製造煙火的原理。

▼煙火的中心部分設有火藥球，而在外側四周放有很多星粒小球。這些星粒就是產生煙火顏色的來源。在星粒裡裝有好幾層的金屬鹽。金屬鹽的配合不同，煙火就會在空中產生各種不同顏色的變化。如果用鍶鹽，火花會呈紅色，用銅則變青色，用鋇鹽又呈綠色。而白色火花則是加入氧化鋇所產生的結果。

▼除煙火裡的小星粒外，天空的星星顏色也各有不同。例如，斯匹加星座是藍白色，天狼星座是白色，而安德利斯星座卻稍帶紅色。這是星球表面溫度不同所引起的，溫度越高越近藍白色，溫度越低越近黃色及紅色。諸位若想進一步知道溫度對色彩的變化，請看「白色火焰」項目。

白色光

▼以前馬家有五個兄弟，個個都是足智多謀，尤其長兄馬良智慧超群，因其雙眉間有白毛，世人都稱他為「白眉」。這人就是三國志中劉備的參謀。從此以後「白眉」二字便成為後世傑出人物的代稱。

▼小說及故事書中常有格言及成語出現，其中有白字的並不多，下面我們舉幾個例子供各位參考。

・**昨日少年今白頭**：意思和「少年易老學難成」相同。換句話說，光陰如矢人易老，勸世人必須珍惜分秒光陰奮鬥不懈。

・**如白駒過隙**：形容光陰如白馬穿過壁隙般；一瞬即逝。

・**白髮三千丈**：李白詩中的一句。自嘆歲月不饒人，轉眼間烏密的頭髮變成銀白。這是利用文學上的誇大形容法，強調世事轉變的無常。按一丈約三・三公尺，

11 有「白」字的成語、格言

三千丈相當於十公里，人的頭髮是絕不可能長那麼長的。

•**鵠不浴而白**：鵠是天鵝，而天鵝不沐浴也能全身潔白，藉以表示一個人心地善良，自然能形於中而形於外，絲毫不會偽裝。

•**烏頭白馬生角**：烏鴉的頭部變白和馬生出角的事，都是不可能的。這是用生物界的自然狀態來比喻絕不可能發生的事。

•**白眼視**：以白眼看人，也就是輕視對方的意思。

•**白河夜舟**：日本有個笑話，說一個人從未到過京都，但卻到處誇耀自己曾歷京都盛景，有次當有人問起「白河」時，他竟把這最著名的寺院當做河名，因此含糊的說：「我只知它夜景很美，因為我在夜晚乘船經過，沒能看清楚。」因此白河夜舟便成了無真知而喜誇大的一種譬喻。

白的格言

12 你能確定白馬是指馬嗎？

▼「白馬不是馬」你先不要驚訝，這話是春秋戰國時代著名的學者公孫龍的白馬論。

他說：「馬是表示形狀的象形文字，而白是形容顏色的用詞。」換句話說，表示形態和形容色澤的兩個字聯合成「白馬」，只是表現他的形與色，而並非指能夠飛躍奔馳的馬。

當然，這種強詞奪理的解說，我們稱為「詭辯」。

▼對白馬，我們所能想到的是活生生的動物，牠雪白、美麗、雄偉而溫馴。但是白馬是不能生出小白馬的，這絕不是詭辯，而是千真萬確的事實。

白馬長有葦毛（含雜著黑白的褐色毛），出生時，毛色呈現灰褐色澤，就如同沾滿塵土般，不很引人注目。但隨年月的增長，毛色逐漸變白，於是壯麗、雪亮的白馬成為馬中的佼佼者，但奇怪的是牠們的尾巴卻永遠呈現黃褐色，無法變白。

▼全身純白的馬極為罕有且特別醒目，由於牠珍貴難得，自古以來便被人類視為尊貴、神聖的代表。但在戰爭中牠成了衆人矚目的對象。最易為敵人發現，所以非常不受歡迎。可是若白馬上的戰士有如關羽、張飛或岳飛等大將，那敵人望而生畏，早已鼠竄，不戰自敗了。東漢時大將公孫瓚常騎白馬，屢破胡寇，有白馬長史之稱。他組織的「白馬義從」全軍皆騎白馬，最為敵人所懼怕。

因此，以白馬做為勇將的標誌是最恰當不過的。而日本神社中也將白馬視為神馬供奉，不敢輕易怠慢。

白馬

13

如果說白人是最尊貴的人種，你同意嗎？五官的形狀以及毛髮的構造能證明他的可靠性！

▼你看過「根」嗎？叫肯達的黑人被抓到白人世界裡充當奴隸，這種因膚色的差異所產生的人種歧視自古存在。直到今天，南非共和國仍有種族問題，尤其是十九世紀時代，人們竟荒繆地以為白人是最優秀的人種。

▼究竟可否依膚色來決定種族的優劣呢？

由於居住自然環境的不同，所受陽光中紫外線照射的強弱差異，導致皮膚有紅、黃、黑、白的各色分別，膚色的深淺完全由表皮層中黑色素的顆粒多寡來決定。但是你必須知道，任何人種皆具有相同數量的黑色素顆粒，只是他們製造能力不同罷了。

▼一般認為，白色皮膚易於接受紫外線的照射，為了幫助皮膚中維他命D的合成，白色人種適宜住在太陽光少的寒帶；相反的，黑色皮膚具有緩和紫外線的功能，因此宜住在熱帶地方。當然，形成膚色差異的原因，還有許多。

▼人種的不同，除了明顯的表現在皮膚外，鼻子、

嘴唇的形狀、眼睛的顏色、毛髮的構造以及身材的大小都會有所不同，因此單以膚色來決定人種的優劣是極不客觀的。

若以生物演化觀點而論，最似猿者當屬最低等動物，而最高等的人種構造便應當與猿類相去最遠。假定就眼、鼻而論，白人最佳；就唇、髮則以黑人為上，就咀嚼以及體毛來說，則以黃人最優。但體毛、唇於白人最劣，鼻和咀嚼於黑人最差，黃人則毛髮及眼睛比較低劣。由此，你還能判定哪一人種最像猿人嗎？

▼約在一萬年前才開始有膚色的分別，出現最早的是黑人，其後因黑人的突變才產生了沒有黑色素的白膚子女，經過數十代，由突變者的再結合，產生了白色人種，而黃種人便是黑色人種與白色人種的融合。這是某些生物學者所一致主張的。

無論如何，人類都屬靈長動物，都能繁衍後代，同是萬物之靈，實在沒有什麽優劣之分。

白人

14

「白」是美麗的少女應具有的特色？

▼愛美是人的天性，雪白細嫩的肌膚是少女們所羨慕的，即使處於生死邊緣，追求美仍是第一要務。

▼由於「一白遮三醜」的觀念，使女士們瘋狂的追求皮膚變白的秘訣，想以此來解決臉部的小小瑕疵，於是化妝品中的白粉，輕易地佔據了領導的地位。

▼日本平安時代，白粉已風靡於女性之間，他們用米、粟、葛……等植物做原料，製成像麵粉般的白粉來塗抹臉部。當時，臉部塗白的女子是最受歡迎的。有一種花的種子，因磨碎後能當作白粉來使用，而被命名為白粉花。

▼可是這些白粉很容易脫落或褪色，後來男人為順應女性心理的需要，製造了大量不易脫落的白粉；如伊勢粉、京粉，在台灣則稱為新竹粉。這是以水銀和鉛做為原料，流行一時的「高級粉」。

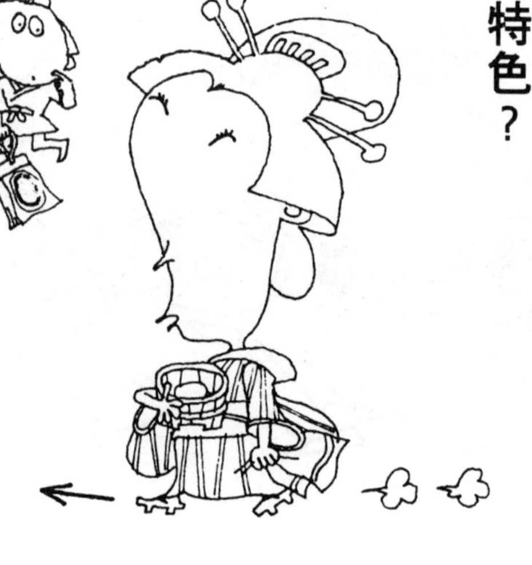

長期使用的婦女及演藝人員，在發現肌膚慢慢變黑時，仍以為是自然現象，以致流行長久不衰。漸漸的，連牙根也變黑了，傷害深及內臟使手臂不能彎曲，這種病患比比皆是。

▼由於使用有毒的鉛銹製造白粉，使鉛毒由皮處侵及體內，引起了嚴重的生命問題。

這種有毒的白粉雖已在一九三二年被禁止使用，但這種駭人聽聞的消息竟是因愛美的天性所引起的，人類豈不是愛美更甚於生命嗎？

白粉

15

潔白的牙齒，令你羨慕。努力刷牙，真能使牙齒變白嗎？

▼由眼、鼻、口構成的臉部是美的總匯。因此牙齒的潔白亦成為美的要件。由於牙齒外層琺瑯質色澤的不同，於是牙齒的潔白度也因人而異。

▼潔白的牙齒為人所慕，但他並非就是健康的表徵，易損的白牙與堅固的黃牙，那一種好呢？牙齒的色澤如同膚色是天生俱來而無法改變的。任憑你使用多少潔白劑仍告無效，由此看來牙的健康與牙質有關，和色澤是毫無牽扯的。

▼如果為求牙齒的潔白而拚命刷洗，以致磨損牙齒表面的琺瑯質，露出了內部的象牙質，這種矯枉過正的嚴重傷害，反而會使牙齒因琺瑯質的破壞而變黃。

▼白有程度上的差異；健康的牙齒是琺瑯質呈現半透明狀的白色光澤。當牙齒出現像粉筆般混濁的白色，便是蛀牙的前兆。這種現象是由於琺瑯質中石灰質的開

始溶化而出現混濁的粉白，這就是不健康牙齒的色澤。

▼像水晶般硬而堅固的琺瑯質如果溶化便會造成蛀牙。而琺瑯質所以溶化是因口腔中藏匿的大量細菌（一公克的牙垢中就含有一千億的細菌）不斷製造酸，對牙面產生強烈刺激的破壞作用。凡殘留澱粉或醣類的牙齒，細菌便蜂湧而至把澱粉、醣類消化成酸，這酸就是破壞牙面琺瑯質的最大致命傷。

▼當琺瑯質稍受破損，細菌便很快的擴展而在柔軟的內部象牙質中活動，形成嚴重的蛀牙。通常蛀牙表面的洞口極小，而內部卻是較洞口大四、五倍的窟窿。

▼如果僅僅把蛀牙視為牙齒的疾病，有時是會導致生命危險的。因為當蛀牙深及牙神經時，細菌可從洞口侵入體內，大量的細菌損壞消化器官，將演成嚴重的病害。所以牙齒的健康，在實質上，遠勝於牙齒的美觀。

白牙齒

16

臉色的蒼白與紅潤，是否代表體內血量的多寡？

▼血氣方剛、凡事易衝動的青年；以及終日手不釋卷，臉色蒼白、運動神精遲鈍的好學子弟，常由於明顯的差異使你以為血量的多寡造成動與靜的對立行為。其實除了嚴重的貧血患者，人類血流量的相差是微小的。

▼就拿魚作為例子吧！牠們的肉色也有紅、白的分別，居住在緣岸的淺海魚類像鯛魚、比目魚、鱸魚以及深海的鱈魚、鮟鱇等，都是不好游動的「文弱書生」，牠們都具有白皙的肉色。相反的，鰹魚、金鯧魚等大海的遨遊者，由於大量體能的運送，全身肌肉中佈滿毛細血管而使肉色呈現紅色。

▼由於魚類運動量的不同，導致不同的肉色。不好游動的魚書生們，需要消耗的能量少，所以不必有發達的養料輸送系統，毛細血管相對的減少而使肉呈白色。至於魚類中的運動者，因游動所需消耗的大量體能需藉

繁密的營養輸送系統隨時補充，因此擔當重任的毛細血管相對的特別發達，這也是肉呈紅色的原因所在。

▼魚類儲藏能量的方法也各不相同，運動量大的魚類多半將多餘的養分儲存在肌肉中，以便運用上的方便，也就因為這樣，牠們的肌肉中便含有較多的脂肪；而運動量較小的魚類，往往將剩餘的養分存放於卵巢或製造魚肝油的肝臟組織中，鱈魚就是最好的例子。

▼不只是魚類，大部份的動物都有這種現象。飼養在籠子內的雞，常有白中透紅的紛白肉色；而在外面自在飛奔的雞，肉色便較為鮮紅。對於人類，這法則依然可適用，不好運動的人，肌肉會變成較弱的灰色。要知道沒有強健的體魄，是難以成大功立大業的。你可千萬別忽視了體育對人體的重要性喔！

白身魚

17 「膿」——一群鬥士的死海！

▼膿，討厭的髒東西；但它卻是你血液中的勇士犧牲性命的成果。

▼你知道血液中的組織成分嗎？他是由輸送氧氣的紅血球（也是使血液變紅的基因），縫補管壁破裂具有栓鎖作用和凝結血液功能的血小板。以及充當警衛，吞噬侵入人體的微生物等有害物質的白血球所構成。白血球是一種有核細胞，通常每一立方毫米中有五千至六千個左右。

你可以很容易的將血液中的成份分離出來。首先把血液放入試管中，慢慢地血液會分離為三層，底部紅色的膠狀凝固就是紅血球，中間白色的薄膜就是白血球，而最上層的血漿，卻是黃色透明的液體。

▼現在讓我們來談談勇敢的白血球：當微生物附著或侵入人體時，奇妙的人體將警報傳達全身，於是勇敢

的白血球很快的接受作戰命令，組成軍隊穿過形成血管壁的細胞間隙，開往戰場的最前線，和侵入的細菌作殊死戰。

▼白血球中的顆粒白血球（多核白血球）和單球如同兩把致命的利劍。從骨髓中被製造出來而擔負不同的戰鬥使命。當命令傳達時，顆粒白血球盡速的趕往戰場，它雖具備強大的殺菌力，但生命卻極為短暫，往往努力作戰，死而後已。顆粒白血球未能消滅的細菌，便交由擔當後衛的單球來對抗。

▼白血球雖能將敵人呑食消滅；但如果敵數太多或毒性太強，往往也會使自己喪命。這些戰亡的白血球聚集起來就稱為膿，膿是正義者的屍體，是白血球的死海。

白血球

18 白血病

▼你聽過喬路斯這位美國足球手吧！他雖患了癌症，卻努力與病魔周旋而不願放棄足球運動，直到一九七七年他才結束勇敢的生涯。這個奮鬥故事常為世人所讚賞。然而奪去他生命的卻是因白血球過多所造成的血癌，又稱白血病。

▼最早發現這種病的是德國病理學家斐爾科（Virchow）。由於白血球的製造工廠（骨髓和淋巴組織）無限制的生產白血球，使數量增加到正常數量的一百倍以上，另方面且抑止了紅血球及血小板的生成。因白血球過多，血液中顯然失去紅色而現出白色，才有「白血病」的名稱產生。

▼一九四五年的八月，白血病出現於受原子彈侵襲的廣島和長崎居民身上，有的在轟炸後便顯現病狀，有的經過幾年後才發現，直到今日仍未絕跡。

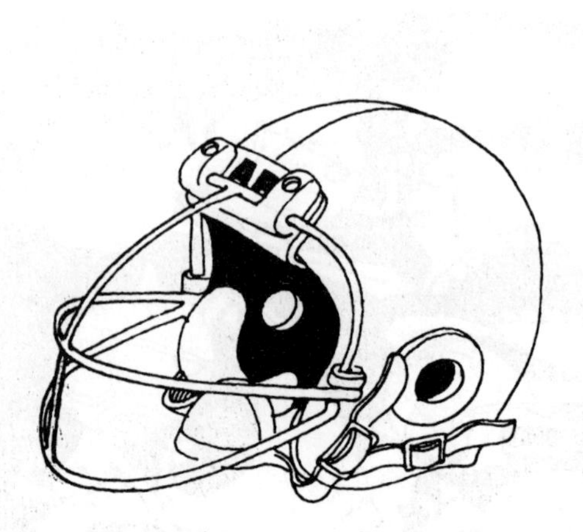

▼白血病的患病原因仍是個未知的謎，或許與濾過性病毒或者放射線有關，但仍不可確定。

它的症狀可分二類，急性患者有發燒、貧血、出血等現象，慢性患者則有脾臟發腫、貧血、出血以及腹部有壓迫感等症狀。

今日醫學雖然極為發達，白血病仍被喚為「癌症」，是一種無法痊癒的病症，但相信在人類智慧不斷衝擊下，必須會產生更高明的醫學新知與技巧，征服可怕的癌症而延長人類的壽命。

白血病

19 白內障—偷取人類光明的歹徒！

▼「你的眼睛像月亮」，明美烏黑的眸子最惹人喜愛，水汪汪的大眼睛像見了人就笑的水珍珠，令人神魂顛倒，但有一種叫「白內障」的眼疾，卻不斷的危害我們的「靈魂之窗」。這種眼疾以老年人的患病率最高，通常九十歲以上的老人罹患率高達百分之百，即使在醫學昌明的時代，它卻因人類壽命延長而造成世界性的威脅。

▼當眼球中的水晶體產生混濁現象，使外界光線無法通過，不能形成影象而失去視覺時，就稱為白內障。水晶體是種像透明鏡片的物體，位於虹彩的後面，能使從瞳孔進來的光線適當折射在網膜上結成焦點，只要絲毫的損壞便造成視覺的障礙。

自古以來眼科的歷史即可稱是白內障的歷史，在許多研究手術中有一種叫「墜下法」的手術，是比較有效

的。這是一種把針從角膜邊緣刺入眼內，將混濁的水晶體剔除，使它脫落的手術過程。

▼在日本傳說中，有一個叫澤市的盲人和他的妻子阿里居住在壺坂，這對恩愛的夫妻為了丈夫的失明悶悶不樂，為了使丈夫重見光明，妻子領著澤市到山腰的觀音寺祈求許願，到許願期滿時仍無見效，他們在極度失望傷心下雙雙跳下山谷，不料從昏迷中甦醒的澤市卻看見了自己的太太，於是二人雀躍的返回寺中感恩，從此過著幸福的日子。

人們說因跳下山谷的衝擊，使混濁的水晶體脫落，使能復明；我們姑且相信這種說法而稱它為「自然墜下法」吧！

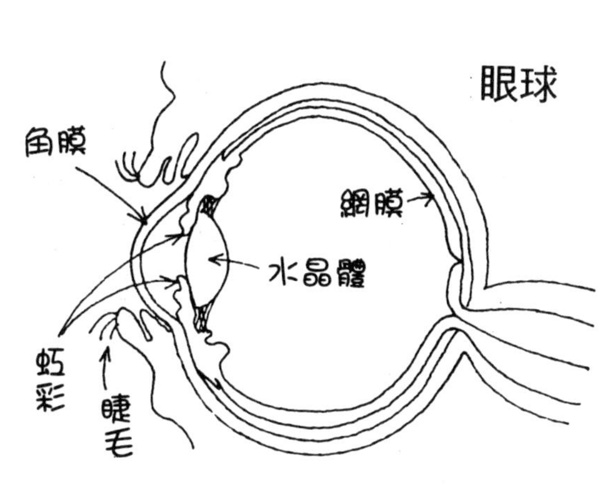

白內障

20

你知道有「白色大便」嗎？為什麼它會是白色的呢？

▼若有人告訴你大便是白的，你絕不會相信。你會意正嚴詞的告訴他大便是黃色、茶褐色或屬這類系統的顏色，但事實上，大便除了黃、茶褐色外還具有黑、白的顏色。

▼你能想像到白、黑、黃、茶褐各色與血液中暗紅色的血紅素有什麼關係嗎？

血紅素集中在我們血液中的紅血球細胞中，能把肺部所吸入的氧氣傳送到身體的各部組織。

▼在身體中流動的紅血球，久了以後會在肝臟內被破壞而排出體外，血紅素於是變成像飴膏狀的黏稠膽汁色素，那些破壞後的紅血球殘骸跟隨著幫助消化脂肪的膽汁色素從肝臟流送到十二指腸和部份的小腸中，於是為消化中的食物染上顏色。

至於黃色、茶褐色的變化，與食物的成分有關，通常吃多了碳水化合物的食品，大便會變成黃色，多吃肉

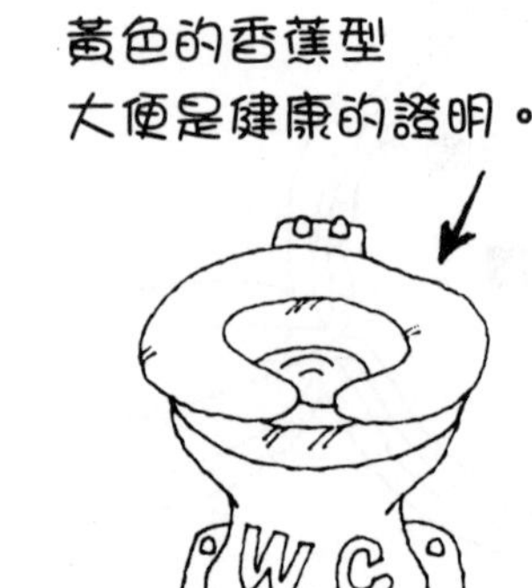

類則呈茶褐色。

▼當這把食物染成黃色的色素不存在膽汁中時，就是造成「白色大便」，在醫學上稱為「無膽汁便」的白色大便對人體是非常危險的，由於肝臟功能的異常衰退或血紅素分解能力過強，使膽汁色素流入血液中，大便因缺少膽汁色素呈現白色，而因血液中膽汁色素的含量引致身體肌膚泛黃的現象，我們便稱為黃疸。

▼黑色的大便是腸、胃出血所造成的。腸、胃流出的血液所含有的血紅素，使食物改變顏色。血紅素並不會把食物直接染成紅色或黑色。而是存在血紅素中的鐵質，因胃液和腸液的氧化作用使食物變黑，形成黑色大便排出體外。

健康的大便應該是黃色香蕉形且不浮於水面的，今後你可以仔細觀察自己每天排便的情形來判定你的健康狀況。

WHAT is this

白色大便!!

白色大便

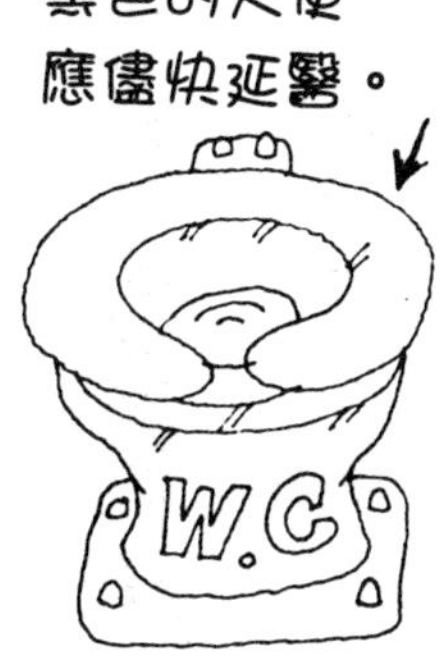

21 一夜之間頭髮突然變白的故事，你聽過嗎？

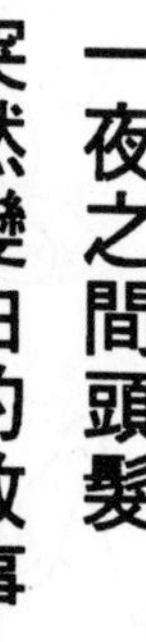

▼在一七八九年的法國革命中，有許多貴族被送上斷頭台，其中著名的法國王妃瑪琍安・德妮克在被宣判死刑後的一夜之間，烏髮全部變白。在我國傳說中，也曾提到春秋時的伍子胥在逃亡途中，頭髮一夕變白的故事。這似乎是令人難以置信的荒繆事件，但由於遭受過度強烈的精神壓迫與恐懼，而使頭髮變白的傳說記載確實是存在的。

▼美國推理小說鼻祖愛倫坡（Edgar Allan Poe）的作品中，那跌入強大漩渦中的漁夫，雖在千鈞一髮之際獲救生還，但卻因過度的恐慌、駭害使頭髮盡白。

▼精神上的過度打擊為什麼會使頭髮變白，至今仍無確實的答案，我們只知當體外的毛髮若有空氣進入，是會變白的。

▼在人體的生理過程中，即使不受外界的精神打擊

，隨著年歲的增長也會有白髮或禿頭的現象。這是因為新陳代謝機能及荷爾蒙分泌衰退的作用所引起的。但因人類體質的差異，快慢先後各有不同。

▼有些年輕人也會長出白髮，這情形我們稱他為「少年白」。少年白亦是一種老化現象，因為存留在毛髮中的黑色素完全消失而產生白髮。隨人體的老化，毛根的色素細胞功能逐漸衰退，終使黑色素停止生長。所以若非皮膚病或積極的營養失調，即使是少年白亦同屬老化現象。但你大可安心，這種老化現象僅出現在毛髮上，對腦細胞毫無影響。

▼白髮有時與遺傳有密切的關係。假如父親有很多白髮，那麼你長白髮的可能性要大於禿頭的可能性。

有人認為少年白是過份的精神耗損與體力透支造成的，事實上我們也必須相信過度的勞累，加速我們身體的衰老。

白髮

22 你患有白癬或香港腳嗎？它們是否很難治癒？

▼你可曾看過在頭髮中長著一撮白髮的人？若你有機會看看那團白髮，你會發現那是一堆沒有光澤、多頭皮屑、易斷裂而長短參差不齊的白髮。

▼這叫「白癬」的難治症，是由黴菌所引起的。黴菌屬真菌類，是由極細密的線狀菌系所構成的皮膚線狀菌。它的種類很多，諸如糕粿類、醬菜類以及釀酒、醬油味噌等過程中所產生的發霉現象，皆由不同黴菌收造成。

▼同樣由線狀菌引發的皮膚疾病還有香港腳、頑癬等，統稱為「白癬症」。這種皮膚疾病的最大特色是破壞皮膚角質化部分，也就是皮膚表皮硬質的部分和指甲。細菌多半在人體受到傷害時才能侵入，但線狀菌卻寄生在很硬的角質中，它溶化角質做為營生的養料，使人體皮膚產生紅色斑點、水泡、頭皮屑和搔養等現象。

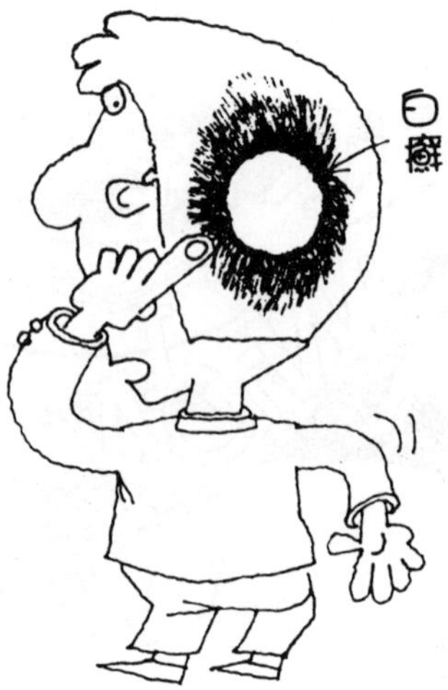

▼你只要知道病原體的特性，就能了解適合其生存的環境而設法制止。黴菌在高溫多濕的環境中最容易生長，在人體的外形上以頭髮髮根部、手指腳趾的間縫等和比較陰濕的下體部分最易感染。

▼但人體構造雖然相同，卻不是每個人都會受到感染。已得到黴菌感染的患者，每年都會在同一個部位發作病症。同居一室的家人，雖雜有患病者卻不一定能使全家人受其傳染，也就是說這種患病率沒有絕對性。

除了高溫多濕的條件外，可能還有許多不能明白的因素共同構成白癬症的產生，這是一種相當難治的黴菌傳染病，預防遠勝於治療，而注意保持清潔就是預防的重要條件，此外勤加沐浴，每天換洗內衣褲和襪子也是不容忽略的。

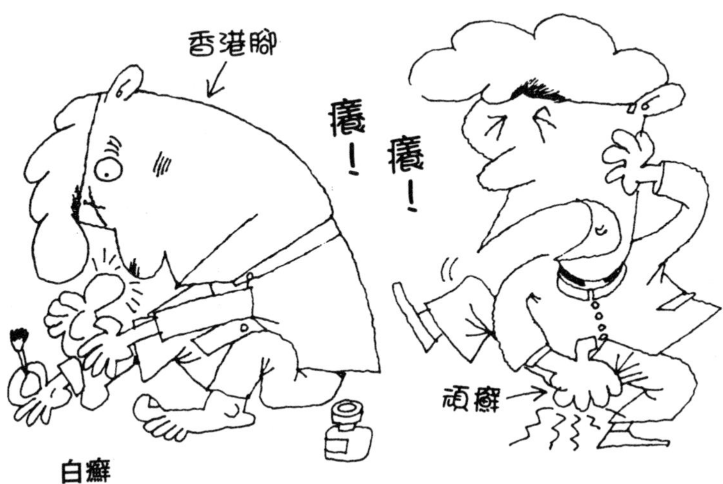

白癬

23

人奶是充滿愛情的飲料，其秘密何在？

▼大家是否還記得母親奶水的味道？我想除了一些乳臭未乾的登徒子外，大部分的人大概都不記得了吧！在此我想提一提養育我們長大的白色飲料——母奶的秘密，供大家參考。

▼人奶佔有嬰兒成長所需要的一切營養，是一種很容易消化的嬰兒食物，若把人奶和其他動物的母奶相比，你可以發現它所含的營養比其他的母奶要高一等。

人奶所含的蛋白質和鈣質，雖比不上牛奶的成分，但是人奶卻比牛奶容易消化，所以對消化器官還不很發達的嬰兒來說，是一種很適合的食物。而以牛奶餵食新生兒，卻很容易引起消化不良的現象。

▼另外母親的奶水，也可以預防各種疾病，這是其他動物的母奶所沒有的功能，雖然牛奶也含有預防牛病的免疫力，但是這種免疫力對人類無效，所以基於這個

理由，用母奶養育的嬰兒，要比用牛奶養育的嬰兒來的更健康。

▼不過母親的奶水如果不足時，那也只好用牛奶來餵養了。牛奶含有骨骼成長所不可缺的豐富鈣質，據說成人如果一天喝上三瓶牛奶，對健康極有幫助；不過如果喝的太多，有些人往往會引起下痢。

▼因為牛奶裡含有乳糖，能使糞便軟化，所以如果食用過量，便容易引起下痢。因此容易下痢的人，最好不要喝冷牛奶，而須加熱後再喝。

同樣的道理，對一位經常便秘的人來說，喝冷牛奶則有很好的效果。

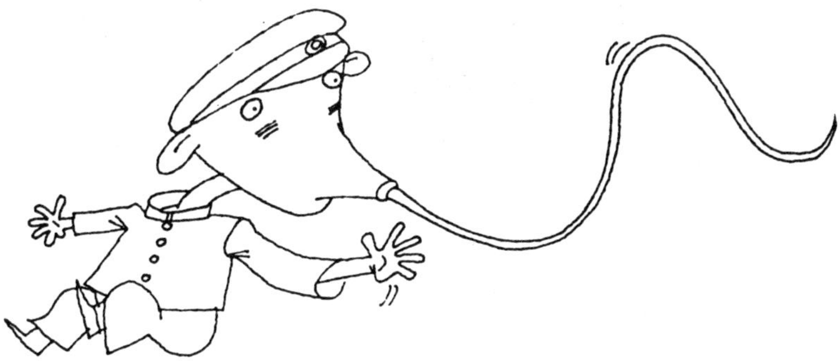

人奶

24 白色魚糕

▼日本料理中的魚糕，究竟是用什麼樣的魚肉製成的呢？它的顏色為什麼是白色呢？

▼魚糕呈白色的原因是因為它用白色魚肉製造的關係，只要把這種白色的魚肉剁碎，然後泡在水裡除去血液和脂肪，就是不用漂白劑，它也會成為白色。

此外一般具紅色肉色的魚，並不適合用來製造魚糕，這是因為這類魚死後，其體內的蛋白質容易變質，所以不適合用來做這種加工。

▼那麼，通常使用哪一種魚類來製造魚糕呢？雖地方不同，但是大致上所使用的魚類不外乎是：鱧、鱚、鱈、鰈等等，另外有一種叫鮫的魚類，則很少人知道牠們也可以用來製造魚糕。

▼鮫魚又叫做鱶魚，是一種會吃人的魚類，肉呈白色，但因含有氨素，所以有點刺鼻的味道，這種魚肉脂

肪含量少且潔白好看。利用它所製成的魚糕，不僅品質好味道也好，是魚糕中的上品。

▼鮫魚除了用來製造魚糕外，還有其他各種用途。牠的皮因極為粗糙，所以可用來磨平木材。至於牠的鰭則用來做料理中的魚刺羹，是相當名貴的一道菜。而肝臟則可用來製造含豐富維他命Ａ和Ｄ的魚肝油。

▼鮫魚肝油又名鯊烯，是漢藥的一種，自古以來就出現在『本草綱目』等藥書上。鮫魚肝油之所以至今仍廣受好評，不僅是它具有治療百病的神奇效果，也是因爲它對於不治之症或現代醫學難以完全治癒的疾病，具有效果之故。

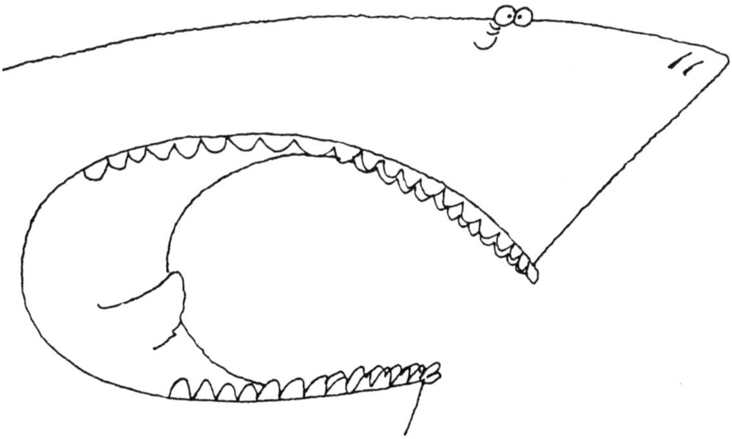

白色魚糕

25 白色冰淇淋

▼炎熱的夏天裡，最受歡迎的食物要算是冰淇淋了。冰淇淋可分成咖啡、草莓、巧克力等各色各樣的口味；但是最具代表性的還是白色的牛奶冰淇淋。可是大家知不知道冰淇淋是何時發明的呢？

▼冰淇淋是十六世紀中葉，義大利人發明的。他的製造方法是利用阿爾卑斯山的冰塊和雪，加上硝石後，讓它處於極低溫的狀態，然後把果汁和葡萄酒置於其中，不斷攪動使它結凍，這就是所謂的冷凍果，也是冰淇淋的前身，後來這種方法傳到了法國後，就慢慢變成了牛奶加蛋黃的冰淇淋。

▼那麼冰淇淋和雪糕又有什麼不同呢？其實這兩種食品的成份是完全一樣的；基本材料都是乳酪、牛奶、砂糖、香料，再加上洋菜或化學糊等。把這些原料混合攪拌並吹氣起泡後，放置在冰箱中冷凍，就成為冰淇淋了。但冰淇淋和雪糕的不同處在哪裡呢？在冷凍過程中，把溫度控制在零下四度左右，僅使一半的水分凍結，

成品便是雪糕。然後在低溫下，繼續讓其餘的水分凍結，也就形成一般所說的冰淇淋了。

▼各百貨公司或是超級市場裡，都販售製造冰淇淋的原料，一般家庭也可以利用自家的冰箱來製造。不過在此我還是介紹一下傳統式的冰淇淋製造方法。它的材料是：牛奶兩大杯，雞蛋四個，砂糖一百公克，玉米粉一大匙，鹽、香料各少量。首先將蛋黃、砂糖、玉米粉充分攪拌，然後慢慢加入事先已加熱到六十度左右的牛奶中，此時特別注意不要讓它起泡。然後再慢慢攪拌煮熟，煮熟後等它冷卻，然後加上香料或是少量的白蘭地酒，以及已經打起泡的蛋白後，存放在冰箱中冷凍。但嚴格說起來，製造冰淇淋的秘訣是把冷凍後的冰淇淋用湯匙攪拌，然後再度置於冰箱內冷凍，如此反覆三、四次，便可以製造出更加美味可口的冰淇淋。

但是諸位可要特別小心，不要吃太多了，因為冰淇淋營養太豐富，容易使人發胖，而且有時候還會使人胃腸不舒服。

冰淇淋

26 醉人的酒和白色有密切的關係

▼酒在我們的社會生活裡，是一種不可缺乏的飲料，但如果喝多了，不只傷害身體且會誤了事情，所以在此特別提醒大家要小心白色的酒類。

▼在日本每年的三月三日桃花節，一般家庭都要喝白酒，這種白酒非常混濁，我們知道目前所喝的酒，都是經過特別過濾後的清酒，但是在古代人們卻直接飲用這種濁酒。

▼酒和白色有解不開的緣，這是因為它是白色的。我國古代有一種酒叫三白酒，是用糯米、白米、以及酵粉釀製成的，另外，也使用白水（清水）─日人稱為諸白，但並沒有談到水質的問題。目前我們釀酒並沒有分掛米、酵米、白米等，而一概使用白米；但是在古代都使用糙米來釀製，稱為片白。諸白算是種上級品，其中以奈良出產的最為有名。

▼我國有一種用高粱製成的白酒，叫做白乾兒，是一種相當強烈的酒。

▼葡萄酒可分成白、紅、粉紅三種。白葡萄酒通常在吃魚時飲用，而吃肉時則飲用紅葡萄酒；他們之間的差別除了原料的顏色不同外，釀製的方法也不同，而且貯藏的時間長短不一。白葡萄酒最適合的溫度大約是攝氏十度左右，而紅葡萄酒則必須要有攝氏十七度～二十度左右的溫度。

▼威士忌酒也有很多名稱含有白色的字眼，例如，最有名的蘇格蘭威士忌，就有White Label, Black and White, White Horse……等之別，寫到這裡且暫停吧！我真想去喝一杯呢！

白與酒

27

白酒、甜酒哪個甜？哪個較易醉？

▼現在的年輕人都會交女朋友，我想大家大概都有經驗吧！也就是每年的三月三日桃花節這一天，受女朋友的招待喝白酒。這是日本的習慣，每年的這一天，家家戶戶都要陳列成對的木偶、插上桃花、喝白酒。

白酒稍帶甜味，喝多了還是會醉，所以年輕人要特別小心，別喝醉了誤事喔！

▼白酒是如何製造的呢？首先我們須把蒸熟的糯米加上味醂，然後放置一個月左右讓它發酵，再把米粒搗碎，這就是白酒製造的過程。白酒裡含有大約百分之九的酒精成分，所以喝多了還是會醉。在此順便提一下啤酒的酒精含量，約是百分之十三，至於日本清酒則含百分之二十三。

▼與白酒容易混淆的是酒釀。酒釀完全不含酒精成分，製造的方法是把米飯或稀飯，加上三、四成的酵菌

後，再加上同等量的開水，保持在六十度（攝氏）左右的溫度下約一個晚上即可製成。在寒冷地方的冬天，酒釀是很普遍的熱飲。由此可以看出白酒和酒釀的製造方法及酒精的含量是完全不同的。

▼說到這裡，順便介紹一下日本三月三日桃花節的由來。古代日本，在每年的三月三日這一天，父母們為了除去子女身上的不潔，使用木偶做替身，丟入河中，但是到了江戶時代，轉而變成把木偶擺設於家中的神案上，以慶祝子女的成長。

最初，有男孩的家庭，當然也裝飾木偶，但是後來不知不覺間，竟變成了女孩專用的節日了。

飲酒過度比想像中還痛苦

白酒

28 白色的年糕是人類的歷史和智慧

▼在日本的新年節日，家家戶戶都蒸製圓形的白色年糕並供奉在神案前。這種白色年糕是新年或是喜慶節日時才吃的食物，古代的人認為白色的年糕中含有神靈，吃了之後會產生特別的力量。

▼新春裡我們把年糕供奉在神案前，這是表示我們也和神吃同樣東西過年的意思，同時這種年糕也是做為新春停炊三天的主要食物。

到了正月十一日，這些年糕已變得又乾又硬，於是將這些又乾又硬的年糕打碎了吃，據說是希望能永遠保持牙齒的健康（鏡開）。

▼至於供奉於神案前的年糕，所以做成圓形，是因為人們相信靈魂的形狀是圓形的，另外也有人認為是模仿神聖的鏡子或是滿月的形狀；更有人說是模仿靈魂的所在——心臟的形狀而成的，總之不管怎麼說，年糕是

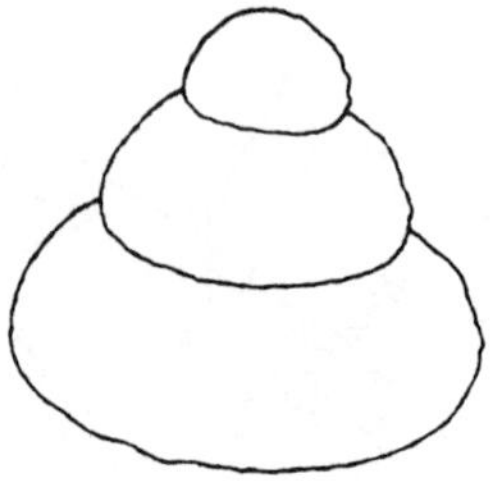

代表神聖而珍貴的食物。

▼不管我們吃了多少年糕，都不會覺得消化不良，這是因為米穀的主要成分是澱粉，它們在受到消化酵素的作用後，就變成了有甜味的α澱粉了。

原來米穀的澱粉屬於β澱粉，它不容易受消化酵素的作用；但是如果加水後再行加熱，則會變成α澱粉。我相信大家都有這個經驗，當你把年糕烤熟，放置一段時間後，年糕會變得又硬又難吃，這是因為澱粉質從α的狀態變回β的狀態的緣故；如果再度將它烤熱，它又會重新變回α的狀態而變得香軟好吃。

光是這麼普通的年糕，就有這麼一段長的歷史和化學變化的學問存在，我們在食用之前，應該好好的把它的本質弄清楚才對。

白糕

▼說長的又白又嫩的蘿蔔，似乎是我們自己的腿，但請不要誤會這是說你壞話，因為我們正在成長期，所以蘿蔔腿並沒什麼不好；一旦年歲大了，腿就會變得如黃蘿蔔般又皺又黃，所以蘿蔔腿是年輕的像徵。

▼蘿蔔是屬於油菜科二年生植物，所以蘿蔔的花就是油菜，換句話說它和菜花一樣為四瓣花。在普通施肥的菜園裡，其開的花是白色的小花，但若生長在貧瘠的土地上，則會變成紫色的花，因此只要施予肥料，它就又變回白色的小花了。

▼蘿蔔為什麼是白色的你知道嗎?本來蘿蔔的顏色不是白的而是綠色的;它之所以成為白色是因為埋在土裡，沒有照射到陽光的緣故，因此如果在栽培時，就讓它照射陽光，那麼長出來的蘿蔔就會和葉子一樣產生葉綠素，而成為綠色的蘿蔔了。和蘿蔔一樣，蔥原本也是

蘿蔔腿是年輕的象徵！含有豐富維他命的蘿蔔並不白！

29

綠色，因為在土中培養，所以土中的部分變成白色，另外沒有照射到陽光就發芽的豆芽的雙葉，也是呈白色的。最近有一種「藍頸蘿蔔」也很好吃，但比較起來還是白蘿蔔好吃。

▼曾有人認為蘿蔔水分多而無營養，其實蘿蔔含有相當多的維他命C，以及幫助消化的醣化酵素。我們平常吃油炸物或是生魚片時，蘿蔔絲是不可缺的佐料；在日本每年過年時吃年糕，如果能配著蘿蔔吃，比較不損胃，這是衆所皆知的。

▼最後再介紹一下，選購蘿蔔的方法！首先應該選擇體型較瘦的並應看清楚葉根後再買，因為有的體積粗大的蘿蔔裡面經常會有洞，所以要把葉根折斷後仔細看一看，裡面到底是空的還是實的！

蘿蔔

30
白色的不一定是好的！以白米為主食，就等於以米渣為主食一樣

▼你對我們每天吃的白米飯，有多少認識呢？現在請仔細看一看米粒，你會發現為什麼每一顆米粒的米頭都斷了呢？那是因為胚芽的地方，也就是含有維他命及礦物質的地方，在從糙米碾製成白米的過程中斷掉的部分，所以米的最主要養分就這樣失去了，換句話說，看起來很白很好看的米，實際上只是米渣而已；最近發明了一種胚芽保存法的碾米法，是一種只把米糠去掉的碾米法，這種米叫做胚芽米，目前尚未普遍流行，所以特此提出來敬告各位。

▼日本人目前所吃的又鬆又好吃的飯，是從何時開始的呢？因為它是我們每天所接觸的食品，大家認為理所當然，所以並沒有人特別去懷疑探求，終至成為知識的死角，今後我們應該朝著這種知識的死角去發掘才對。話說回本題，熱帶植物的稻米，傳到日本的時間，大

含有礦物質和維他命的胚芽米。

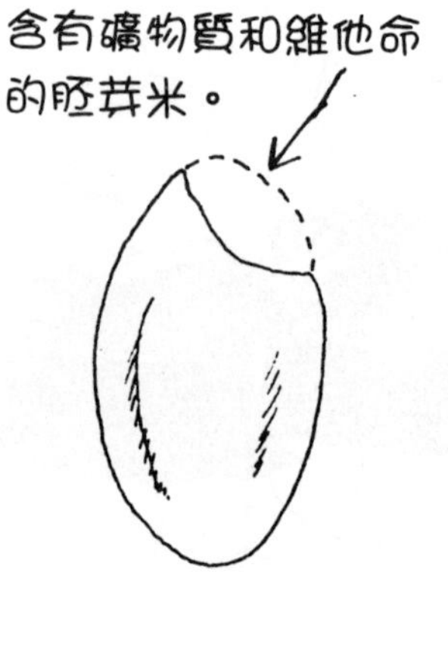

約是在兩千年前的繩文時代末期，此時還可能停留在吃稀飯的階段，後來因為有了鐵鍋和灶的發明，才開始煮成乾飯，這已是江戶時代的事了。

▼還有一件為大家所不知道的事，那就是亞洲各國對米的吃法各不相同，而能夠注意到火候、水分，並將它煮的膨鬆好吃的，只有日本這個民族。那麼其他的國家是怎麼做的呢？

他們一般都是先將米放入很多的水中，然後置於火上煮，等水煮沸後，再用竹撈將它撈起，換句話說就是將黏黏的湯去掉不要，然後把調味料放入米中加以攪拌後再蒸，經過這種方法煮過的飯，可說已完全失去養分，且飯也變得乾鬆毫無黏性，用筷子夾不起來，最後只好用手抓。然而在義大利，這種經過調味後的飯，並不是主食，而只是菜色的一種。

白米

31 鹽、砂糖、麵粉如何分辨？

▼這裡有三個袋子，裡面分別裝著鹽、砂糖、麵粉，它們都是白色的，也沒有任何記號可分辨，試問你如何去辨別呢？

但請注意，千萬不能用嘴去試吃。

▼首先你先看看外表，麵粉很細而鹽和砂糖則較粗，所以麵粉一看就清楚，但是鹽和砂糖又如何分辨呢？他們的分辨法是將兩樣東西放置在空氣中一段時間後，其中有一個會較為潮溼，這就是鹽，因為鹽裡面含有氯化鈣，會吸收空氣中的水分，產生溼解的現象；而糖則仍舊維持原來的樣子。

▼另一種分辨的方法，是把三種粉分別溶於水中。也就是取大小相同的三個杯子，分別放入同量的麵粉、鹽和砂糖過一段時間後，其中二個杯子保持澄清，而另外一個杯子的杯底則出現沈澱的粉末，換句話說前兩種

會溶化，而後一種則不溶化，那不溶化的物質就是麵粉，但如果加熱，仍然是會溶化的，至於剩下的兩種物質要如何分辨呢？這就是必需依他們溶化情形的不同來分辨了，砂一般來說糖比鹽較易溶化。

▼最後有一種方法是用藥品來區別，在此介紹一下，麵粉在乍看之下就能分辨出來，但是鹽和砂糖卻無法立刻分辨出來，此時可以滴入幾滴紅墨水，因為紅墨水對砂糖不會起變化，但是碰到鹽則會變成鐵銹的顏色，另一個方法是將麵粉加熱溶化後，滴入幾滴碘液，麵粉會變成藍紫色，這是因為引起碘澱粉反應的結果。又如果把硝酸銀滴入鹽水中，則會發生白色的沈澱物。除此以外，還有什麽別的方法呢？請大家想一想吧！

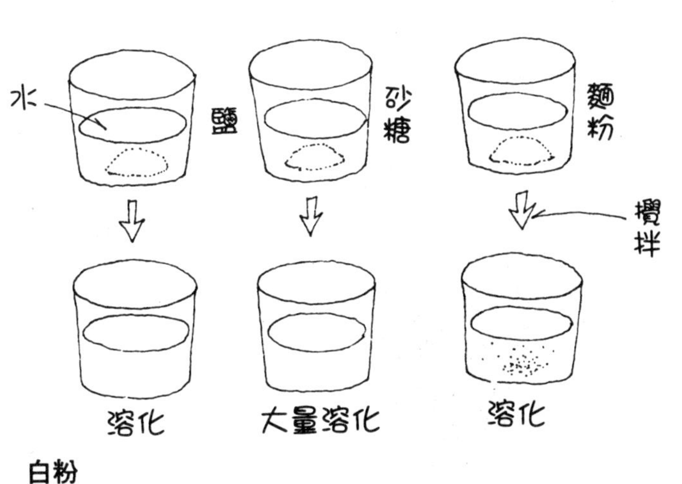

白粉

32 鹽不但用來避邪，且可當錢使用

▼大家曾經在電視上看過摔角吧！那些大力士在比賽之前都要灑鹽，你知道這是為了什麼嗎？這是為了要使比賽的場地神聖清靜，自古以來純白的鹽，一直被認為具有避邪的不可思議的力量。

參加葬禮回來的人，一定要在身上灑一些鹽來驅邪。實際上鹽在科學上的確具有一股不可思議的力量。

▼自古以來，用鹽來醃漬貯存食物，是很普遍的一種方法，例如，醃的鹹魚、醬菜等。在此說明一下，為什麼食鹽能使食物保持長久不壞？

因為鹽灑在食物上時，會深入動物的皮毛下，在吸收水分後會更滲透到內部去，在達到某種程度以上的濃度後，便產生殺菌力使細菌無法繁殖，因此食物不會腐壞，而能保持長久。知道這種作用的古代埃及人，為了不使木乃伊腐爛，於是在屍體上灑鹽，換句話說埃及的

經鹽漬的木乃伊

好可怕！好可怕

木乃伊，其實就是漬鹽的屍體。

▼鹽的殺菌力早就被發現，並用來漱口。現在告訴你一種被蟲咬後的止癢秘方。當你被蜂或蟲叮咬時，可把牽牛花的葉子，用鹽漬過後，擠出汁液塗擦在患處這樣立刻可以消腫止痛。

鹽另外又有降低冰溶點的作用，你曾將鹽加入雪或冰中來冰凍橘子嗎?水在零度時結冰，但是若加入鹽時，則需更低的溫度才能凝結，所以在北歐地方，都利用這種原理來溶化積雪。

▼具有種種不可思議力量的鹽，也被當作錢財來使用。大家都知道Salary man的意思是領薪水的人，而Salary就是拉丁語中「鹽」變化而來的。

白鹽

33 以白制白、金魚白點病的特效藥——鹽

▼「媽！您看，金魚變白死掉了！」「哦！果然變白死掉了，到底什麼原因呢？」，我想飼養過金魚或是鯉魚的人，大概都有這種經驗吧！飼養的金魚，表皮上忽然產生白色斑點，然後便快速死亡。

如果僅因為這樣就傷心不已的人，實在沒有資格飼養金魚，你應該要仔細查明一下，到底是什麼原因，使金魚生白點而死。

▼這種魚表面的白點，若用放大鏡仔細一看，你會發現它們原來是一隻隻像小蝦子般的東西附在上面，尤其是鰭的上面最多。

這些像小蝦子一樣的東西，是屬於節足動物，名字叫做魚蝨，體長大約三～五毫米，和蝦子、蝦蛄同類，也和做為南極鯨魚食物的甲殼類同類。這種小動物就是害死金魚的元兇。

▼甲殼類在池底下產卵後，幾天內就會孵化成幼蟲而在水中漂浮，是浮游生物的一種。這種浮游生物被魚吸入後，會附著在魚鰭內，並發出一種毒素，使魚痲木而無法呼吸，進而吸取牠的血液。所以從這些死掉的魚中，可以發現很多這種小蟲。

▼如果魚得到這種白點病，應該怎麼處理呢？它的特效藥就是白鹽。我們首先用夾子將那些幼蟲夾除，然後等魚呼吸較順時，把魚放入百分之三的鹽水中洗淨即可；但是如果放入鹽水的時間過久，或是水調配的濃度太高，不僅幼蟲會死亡，就連魚也會一起死掉，所以要特別注意這一點。

▼除此甲殼類的蟲外，還有一種叫錨蟲的原生動物，也會引起白點病。所以為了魚的健康，應該要特別注意水的清潔和衛生。

白點病

34 雪白的花會滅種，可是還是有雪白的花存在，為什麼？

▼白色的花有山百合、濱萬年青、水芭蕉、辛夷、梔子、枳殼……等等，可是上面所舉的這些花名全錯了！如果你不相信的話，只要仔細看一看，你就會發現所謂白色，其實是很淡的黃色；如果不相信，你可以用一張白色的紙，放在花的背面映襯比較看看就知道了。如果你想知道得更詳細，還可以用下面的化學方法來分析。

▼首先請你把花瓣磨碎，置於玻璃杯中，滴入乙醇，稍後，再用濾紙過濾，然後再把氨放入溶液中，最後檢查一下花的水色，你會發現白色花含的色素是黃色而不是白色，所以這些白色的花不能說是白花。

▼那麼這些花為什麼看起來是白的呢？這原因在於花瓣的構造，因為薄薄的花瓣內，有許多像海綿體一樣的東西，且間隙裡有很多的氣泡，當光線照射到花瓣時，氣泡的反射較色素的反射強，所以人眼所看到的花瓣

顏色便是白色的。

▼但是有一種動物卻能分辨這種極為淡的黃色，這種動物就是蜜蜂。牠能看到人類所無法看見的紫外線。蜜蜂並沒辦法看到全白的顏色，但由於黃色的色素能夠吸收紫外線，所以蜜蜂可以看得很清楚，也因為這樣，他們才有辦法尋找目標吸取花蜜，並順便幫助花朵受粉，使花能夠結果，這實在是自然界很巧妙的安排。

▼換句話說，如果自然界有完全雪白的花，必定會因無法引起蜜蜂等媒介昆蟲的注意，而終於滅種，所以完全雪白的花，根本就不能存在。

▼然而，用人工方法改良培育的園藝用花，當然又另當別論。因為它們不需靠昆蟲幫忙也能繁殖，所以就不必含有足以吸引昆蟲的色素了。

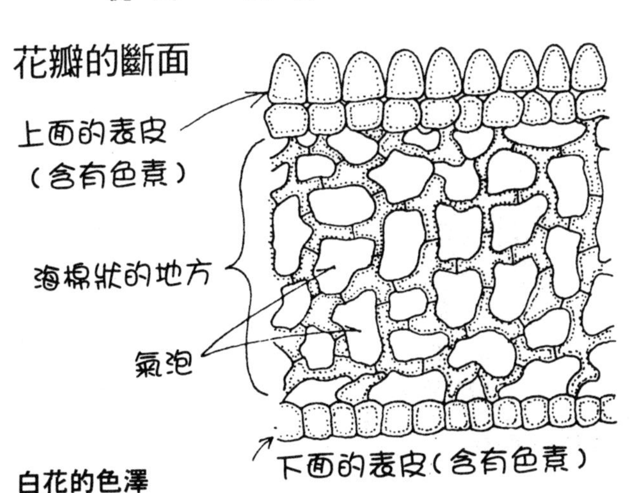

白花的色澤

35 製造情調的森林佳人——白樺

▼一層濛濛的霧籠罩著高原，黑色的岩石把白色的白樺樹襯托的更雪白，這種地方實在是和女朋友約會的好地方，尤其是對環境氣氛較敏感的人，只要坐在白樺樹下，即使沒有霧，也會覺得很有羅曼蒂克的氣氛，白樺樹就是因為有這種力量，所以歐洲人才稱它為「森林的佳人」。

▼白樺樹是屬於樺木科的落葉樹，是生長在標高八百～一千五百公尺之下雪並不多的寒冷地帶。在氣象學裡有所謂的樺木氣候，指的是月均溫在攝氏十度以上的氣溫，一年中約有三～四個月。

把這種氣候取名為「樺木氣候」的人，是一位叫Koppen的德國氣象學家，他也是發表大陸移動說的Wegener的老師和義父，因此白樺樹和大陸移動說，有著不可分的密切關係。

▼白樺樹在四～五月時，會開紅黃色的花，因它很

喜歡陽光，所以又被稱為陽樹。它的幼木成長的很快，大約在三年內，就可以長高至二公尺左右，此時茶褐色的樹皮就會變成很好看的白色。

▼以前的獵人上山打獵時，都會攜帶一些白樺樹的樹皮，因為這些樹皮含有多量的油質和臘質，即使在下雨時也很容易起火，所以獵人們用它來照明或是生火煮東西吃。

▼美麗的白樺樹，如果任其生長而不加以整理，就會變成椎樹。這是因為當白樺樹長至大約三十公尺高時，會遮住太陽，使幼木得不到陽光的照射，以致生長受到阻礙，所以白樺樹就無法再繼續成長，延綿不斷了。

▼以白樺為縣木的日本長野縣，在白樺湖附近種了很多白樺樹，為了使它成為光觀勝地，當地政府很重視這些白樺樹的整理，他們的方法是將未成長的幼木，移到陽光照射得到的地方去，如此就能保持樺木的繁茂了。

白樺

36

白色的花，多半具有迷惑人的香味

▼有關頌詠白色花的歌曲很多，在前面已經說明過了，所謂白色的花，其實不是白的而是淡黃的。但是在此還是將他們當做白色的花來說明，現在且讓我們來談一談有關開在樹上的白花吧！

▼首先我們來看看卯木的花，有人說卯木之所以稱為卯木，是因為它在農曆二月（卯月）開花的緣故。也有人說這和兔子有關，所以稱為卯。由於卯木的花很白很細，所以也有人把又白又細的豆渣稱為卯花。

▼其次是馬醉木。馬醉木是一種會開花的樹，它能開出一串串又小又白的花，但因樹葉含有毒素，馬吃了會醉，所以稱為馬醉木。但在鹿兒島地區卻稱為鹿不吃，而在日本三重縣的鈴鹿地區，卻又稱為殺牛。

▼另有一種厚朴。開的白花很大，除花之外的其他部分都可以當做藥，例如，把它的籽煎來喝，對治感冒

很有效；如果把厚皮在薑汁裡浸泡後再烘乾，然後將薑汁皮煎來喝，據說可以利尿。

▼辛夷又稱為白櫻花，因為在日本東北，辛夷比山櫻早開花，每每把山染成一片白色，所以有此名稱。然而這種花盛開的時候，也就是農家開始準備農耕的時候，因此人們又稱它為耕農櫻或是播種櫻；對北方人來說，白色的辛夷花是春天的象徵。

在日本信州伊那地方，據說如果辛夷花朝下開就會下雨，反之則天晴。而朝上開的時候愈長，農作物就愈豐收，這是一種很有趣的傳說。

▼這樣看起來，白色的花多半開在春天，而且具有芬香的氣味。除了上面所舉的以外，還有梔子、枳子、沈丁花、泰山木等等，都具有又甜又香的味道。

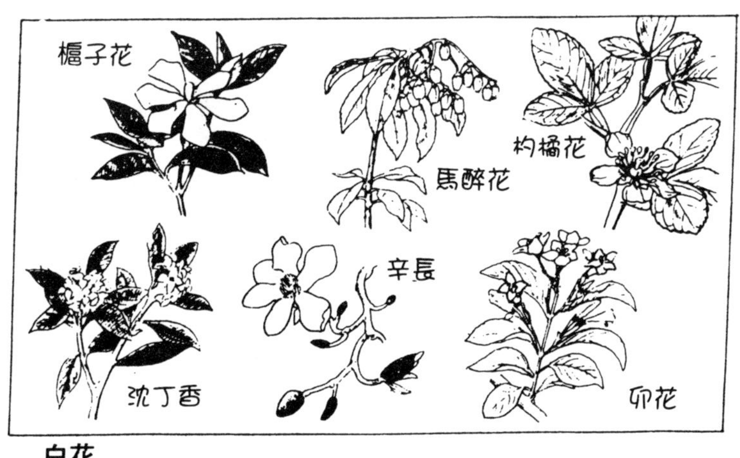

白花

37 你知道職業棒球的由來嗎？變黑的白襪隊以及她的珍貴記錄！

▼最早的飛機由萊特兄弟發明，而職業棒球隊也是由一對叫哈利和喬治的萊特兄弟開始。他們在一八六九年於cincinnati這個地方成立了一隊叫紅襪隊（長襪）的棒球隊。

▼在美國棒球大賽裡，和「白」有關的隊伍是哪一隊呢？我想喜歡棒球的人大概都知道，那就是白襪隊。下面是有關她的珍貴消息。

▼一八七六年在棒球界有國際大賽，一九〇一年有全美大賽，而到了一九〇三年才有世界大賽。在一九一九年的世界大賽中，發生了一件很大的事件，也就是從國際大賽創立以來的名隊——白襪隊主力的八個選手故意戰敗，當然這八個選手被判永遠球監，對手的紅襪隊因此大勝。一般人稱此事件為黑襪醜聞，白襪隊從白色變成了黑色，而這兩隊都是以襪取名，實在是很有趣的一件事。白襪隊雖沒有特別出色的各人表現，可是卻留下了很多珍奇的記錄。

▼這一隊曾有過逆轉比賽最多的得分差，也就是曾

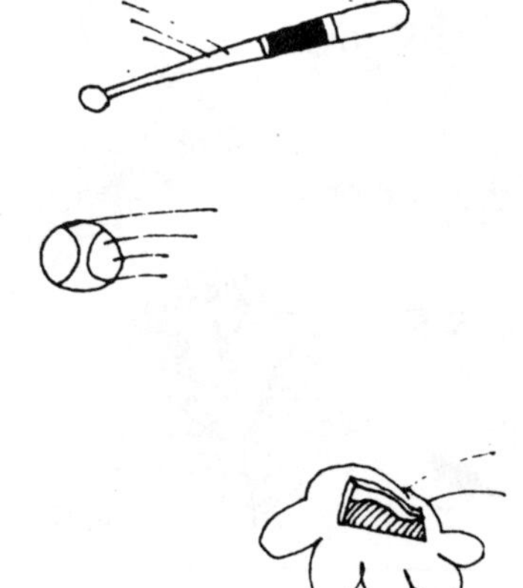

經在第五局的後半局，以十三比一領先老虎隊，但是在結束以後，竟以十五比十六戰敗，這十二分之差，直到現在還未被打破。

▼只投一球就成為勝力投手的人，在日本有五個，但是沒有投就成為勝利投手的人，只有一人。他就是白襪隊在第九局的上半局，二出局滿壘的情況下，被安排當救援投手，而在開始繼續比賽之前，像射箭般的投出了一個牽制一壘的球，把盜壘者擊殺了，使球隊在後半局反敗為勝，所以這位救援投手一球也沒投，就變成了勝利投手，他名叫阿爾特勒克，一直到了五十七歲才退出球壇。

▼一次比賽中，最多的盜壘次數是六次，而在十天的比賽中，有兩次這種記錄的是一位叫克林斯的人，他也是屬於這一隊。在日本也有一位叫山崎善平的球員，也在一次比賽中六次盜壘成功，但這種記錄在他的打球生涯中只有一次。

美國的職業大賽和日本的職業大賽，水準並不一樣，王貞治的八百支全壘打，在美國可能只有五百支而已，看到這兒，希望巨人隊的球迷們可別生氣！

白襪

38

白色代表短暫的人生

▼『浮雲』是日本有名的文學作品，一部是由二葉亭四迷所作，另一部是林芙美子作的，你可知道浮雲是什麼雲嗎？一般具有代表性的浮雲是積雲和綿雲，她們白白的浮在藍空上，僅四、五分鐘的時間就消失了，所以短暫而沒有前途的人生，實在可以比喻為浮雲。

▼白雲是水蒸氣冷卻後，變成冰或水的小粒所形成的。那麼她為什麼會浮在天空上呢？粒子的直徑一般多是〇・〇一毫米，最大的也不過是〇・〇四毫米，像這麼小的粒子，在空氣的抗力下，每秒鐘會掉下數公分，並立刻就蒸發掉，所以它們才會浮在天空上。

▼雲粒是以存在大氣中的灰塵為中心所形成的，如果空氣中沒有灰塵，即使有再多的水蒸氣壓，也沒辦法形成雲。做為雲核心的灰塵，多半是海上的鹽粒，當海面上的波浪，被風吹到空氣澄清的山谷間時，就會形成美麗的白雲。在都市裡到處都是煤烟灰塵，以灰塵為核

心的雲，看起來雖然很美，但只是外觀而已，裡面實在是很髒的。

▼大家所知道的白雲，大概是像抱著一條線的絹雲吧！這種雲在所有雲當中，位置最高，約處於六千～一萬公尺左右的上空。在上空氣溫零下十五度左右時，雲就會形成叫冰晶的冰粒，這種絹雲在低氣壓或是溫暖前線之前出現時，是下雨的前兆，如果絹雲不是直的而是彎曲的，則表示天氣晴朗。

▼白色的雲除此之外，還有一種像一片片小石頭排列起來的絹積雲，稱為鱗雲。羊雲則有較大的雲塊，是一種稍帶灰色的高積雲，其中絹積雲最美，在詩歌裡經常被吟詠，高積雲被陽光照射時，可以看出微帶著藍、黃、紅等顏色，一向被認為是吉祥的徵兆。在工作疲勞之餘，大家不妨欣賞一下天上的雲，藉那飄逸多變的形象舒展您的身心。

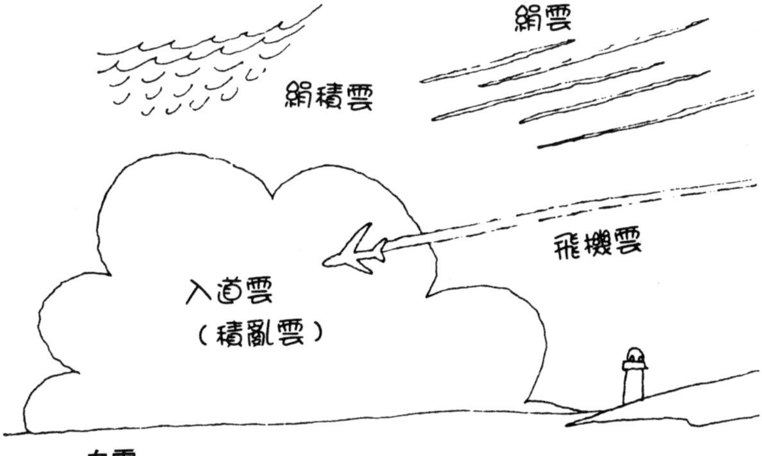

白雲

39

冰河的冰是白雪積成的，而雪為什麼是白的呢？

▼鑽石的結晶多半呈八面體，而食鹽的結晶卻像骰子，是四方的正六面體。而水的結晶又是什麼形狀呢？如果你能馬上回答這個問題，那麼你真是位相當有科學頭腦的人。它的正確答案應該是六角形。這種六角形的水結晶，在數千公尺的高空上，神秘的變成雪白的雪降下來。

▼雪，在人的視覺中呈現白色，但它的結晶真是白色的嗎？不！如同水是無色透明體一般，雪的結晶也是無色的。可是為什麼看起來會是白的呢？有人說：「因為如果雪不是白的，就不會有白雪公主了！」當然，這是開玩笑的話。真正的原因是因為雪結晶的表面粗糙不平滑，當它受到光線照射時，就形成了亂反射，而給人們一種白色的顯象反應，這情形和冰箱冷凍櫃裡的空氣，看起來是白色的道理相同。而波浪因氣泡的關係，也被人們認為是白色的。

▼在高空中冷卻的水蒸氣，結凍後成為冰晶，如果

以這種六角形的冰晶為中心 再形成各種形狀的雪結晶，這些結晶也都屬於六角形體。

雪的結晶很少降落，日本除了北海道的大雪山或十勝岳有這種情形外，在沒有風的晚上，偶而會降下這種小小的結晶。通常我們看到的雪都是由許多結晶體所結合成的，其中較大的結晶體我們稱它為牡丹雪。

▼降雪時大地是靜悄悄的沒有一點聲音，地面上的積雪因它的結晶體以先端抵住地面，所以空隙中含有百分之九十以上的空氣；這種含有空氣的雪層具有保溫的效果，可以使雪層下的生物免於結凍，是寒冷地帶農產物的保護神。

但是積在地面上的雪，經過兩三天之後，六角形的結晶體就會變成圓形的結晶體；又因上層積壓力量的壓迫使裡面的空氣，逐漸降低到百分之十一以下，如此而形成了冰。

▼南極的冰河就是積雪受到壓縮力所形成的。

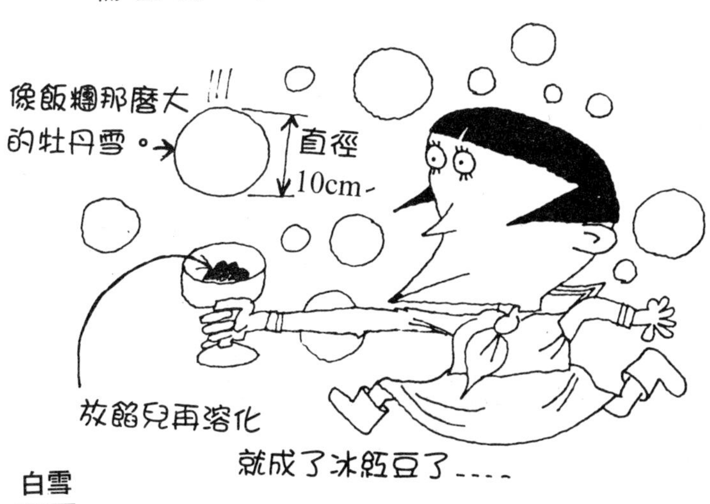

40 世界下沈！鋪蓋白色大陸的冰雪，如果都變成了透明的水該怎麼辦？

▼如果白色大陸——南極的冰，全部溶化了會產生什麼情形呢？要回答這個問題，首先讓我們做簡單的計算。假設海面升高了六十公尺，全世界的沿岸都市勢必會變成水鄉澤國。南極的冰正具有這種驚人的力量。

▼南極冰地面積約是全日本的三十七倍大；雖名為大陸，但並不平坦，且平均高度約有二千公尺，比世界第二高的亞洲大陸（九六〇公尺）高得多。大概很少人知道南極大陸竟然這麼高吧！而富士山高三千七百五十四公尺，是日本第一高峰，其中約有一千九百公尺是冰的厚度。而南極厚度最高可達四千五百公尺，積冰比富士山厚得多，如果稍經換算，你會發現這比積冰量相當於地球上百分之九十的淡水。

▼然而南極的冰是絕不可能全部溶化的，所以大家也不必擔心。因為南極位於高緯度，僅能受到少量斜射

的陽光，並且因為標高很高而陽光又受冰雪的反射，所以溫度不會升高，積雪也就永遠不會溶化了。

在南極的某一個基地，人類曾經為了調查而挖掘了一個二千公尺的冰洞，調查人員說曾在裡面發現了十萬年前的冰。

▼南極大陸並非一開始就被冰雪所覆蓋，從南極各地發現的煤炭看來，可知南極過去也是塊植物茂盛的綠色大陸。

除了三億年前的植物化石外，人類在南極和其他大陸還發現了恐龍的化石，因此，人們相信南極大陸在古代曾經和非洲、澳大利大陸，南非大陸、印度半島等連結在一起，後來因為地殼變動，才形成現在的位置，這也被認為是大陸移動說的證據之一。

白色大陸

41

在白色大陸上是否同樣可以享受滑雪、溜冰的樂趣呢？

▼冬天最好的運動就是滑雪，在一望無際的雪地上，由高處向下滑落，留下兩道匀稱、壯麗的痕跡時，你擁有的將是多美好、多刺激的享受，縱使你是一位笨拙的只能在雪地上留下歪斜扭曲線條的滑雪者，但仍然可以享受滑雪的樂趣。

為什麼雪能滑行呢？

▼這一個問題在很早以前就有人研究過，他們認為因為人體與雪地接觸面狹小，身體的重量壓迫地面而使冰雪溶化，於是產生了一層薄薄的水膜，這層水膜具有潤滑的功用，能使人體滑行無阻。另一種說法認為人體與雪地摩擦時產生的熱能使冰雪溶化，而產生了潤滑的作用。目前，這種說法是較被人接受贊同的。

▼在廣大無垠，覆蓋著的白雪的南極大陸，是否也能痛快的滑行呢？事實告訴我們，那是不可能的！溫度低於零下三十度，呈現藍白色的南極冰地，有「藍冰」之稱，光滑而堅固的藍冰，由於長久的結凍，人類在上面行走已非常困難，何況是滑行呢？

利用摩擦熱使雪地產生潤滑水膜的理論，只適用於

零下一、二度的寒帶氣候，在南極，這個方法根本失效，因為當滑雪屐的底部與雪面摩擦產生水膜時，卻因過分寒冷，而使水膜快速復原為冰雪，如此一來，不但無法產生潤滑作用，反而會牽制滑雪屐，使它附著在雪地上，不能前進，所以在極地的冰雪上行走，便猶如在沙漠上一般的乾澀，如果你把手伸入冰箱冷凍庫中，你的手指立刻會被霜緊緊的吸住，使你感到有如被強力膠黏貼一般，這道理是一樣的。以前，曾有一位探險家，因不明白這個道理，而失去了寶貴的性命，那就是曾經和挪威探險家羅德、阿孟森（Roald Amundsen）比賽前往南極點的英國遜科德一行人。

阿孟森是一位滑雪專家，對這次的比賽，自然穩操勝算。但對於不甚明瞭雪地性質，以為在堅硬的雪地上就能滑行的遜科德，卻在抵達南極點之前，發生了悲劇。事實上，成功的阿孟森，也因鐵橇受凍，而使得橫渡南極地的壯舉慘遭挫折。

由此，我們必須體會到，處理事件時必須要有充分的了解才能順利達成，以避免不幸的意外事件。

博學多聞的阿孟森

不幸的斯格特

滑雪

42 白色大陸的動物出生時，以白色最佔優勢！

▼白色的南極大陸，平均氣溫低於零下十度，在終年積雪的銀白世界裡，無論你朝哪一個方向觀望，都是白茫茫的一片，即使是夏夜，也如同白晝一樣，這種現象，便造成了真正的白色世界。在酷寒的白色大陸裡，某些仍然能夠生存的動物，如果也都呈現雪白的色彩，這個世界是不是太單調了呢？

▼一提到白色動物，我們就會想到白熊、白河豚；但這些都是生長在北極大陸的動物，雖然兩極的氣候、環境極為相似，但白熊絕不可能由北極移居南極的。據我們所知，企鵝才是南極最具代表性的生存者。在這兒，有世界最大的皇帝企鵝和國王企鵝，牠們的腹部，呈現雪白的色澤，而背部則是相對的黑色，因此，牠們並不能算是白色動物。但是剛由卵中孵出的小企鵝，卻有全白的身軀，因為幼小的企鵝不但行動遲緩且不會游泳

，所以必須靠著不太顯眼的白灰色，防止盜賊鷗和海豹的侵襲，在南極大陸中求生存。

▼白色大陸最常見的動物，除了企鵝外就是海豹，基於同一種作用，小海豹也具有白的膚色，有時甚至潔白如雪，令人難以識別。但隨著年歲的增長，牠們的膚色會逐漸變灰，並長出白色斑點，這時，牠們已能潛入水中捕食烏賊和魚類。另外，他們也吃企鵝和小海豹。生長在南極的動物，都有白色的幼稚期，因為在被雪所覆蓋的大陸上，只有白色才是最好的保護色。

▼長成的企鵝，能在水中快速游動，當牠們受到逆戟鯨或鯱魚襲擊時，能立刻從水中跳出二公尺高而向陸地逃亡；而藍黑色的背膚，與海水混淆後，更不易被盜賊鷗發現了。當然也有長大後仍然全身雪白的動物，例如雪鳥就是。顧名思義，我們想像得到牠潔白的羽毛，使四周的雪地都為之遜色了！

白色大陸的動物

43 地球上最大的動物是白海怪物，在牠長達七公尺的幼年期，生活情況是怎樣的呢？

▼白長鬚鯨與體積稍小的長鬚鯨不同的是背部呈現白中略帶暗藍的色澤，而腹部也有很多條紋；英文中稱牠為藍鯨（Blue whale），這似乎強調了牠的藍色，但在白的故事中，我們必須以白為主色，因此先讓我們談談牠白色的乳汁。

▼白長鬚鯨不和魚、鳥一樣屬卵生動物，而是哺乳類生物。在它初生時，體長就有七公尺，約二百公斤，試想負責養育幼鯨的母鯨魚是多麼辛苦呀！母鯨在哺乳時，由於奶汁過濃，往往把附近海面染成白色。七個月中，幼鯨就能吃掉超過一公噸的奶汁，而在一年後長成二十五公尺的大鯨魚。

▼母鯨領著已長大的幼鯨，回到食物豐盛的冰海來，這種恆溫動物為了保持固定的體溫，身上有一層厚厚的脂肪，以防冰海中寒冷的侵襲。母鯨在生育期，為了保護怕寒的幼鯨，會游到赤道附近溫暖的海中生產，但

因為這裡適合白鯨的食物太少了，所以在幼鯨成長後，牠們必須再回到冰冷的白海中。南冰洋在夏季時，由於海上冰塊溶解，而使滋養物浮出海面，於是硅藻以及以硅藻為主食的甲殼動物便大量繁殖，海面也因此變成暗紅色。這時，白長鬚鯨便成群游到這裡，張開大口，吞食海面的甲殼動物，再以長鬚代替牙齒，將食物過濾後吐出海水。

▼「白鯨」使我們聯想到阿哈船長捕殺白鯨莫比敵的勇敢故事，但故事中的莫比敵並不是白長鬚鯨，而是年老的抹香鯨。白長鬚鯨能以時速三十公里的速度在水中急進。所以以往人類根本無法捕捉牠們；直到二十世紀後，由於科技的文明，才能有效的追捕這種龐大的鯨魚到現在，體長三十五公尺、體重一百七十公噸的巨大白長鬚鯨，已在海中逐漸絕跡了！

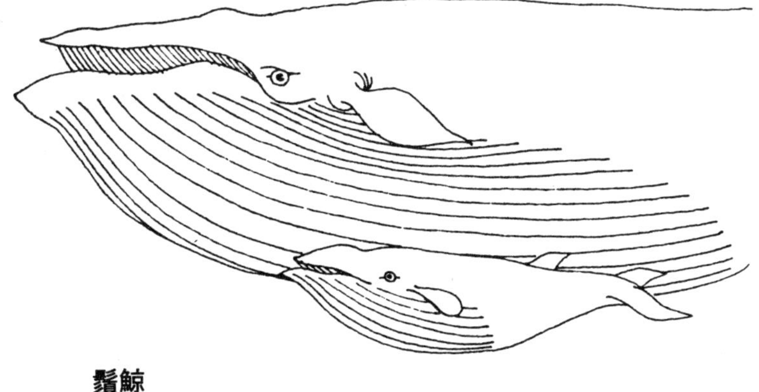

鬚鯨

44 地球不斷的在冷卻嗎？是否有那麼一天它會變成銀色星球呢？

▼如果我稱這個時期為冰河時代，可能不會有人相信，但事實上，對廣大的宇宙以及無際的時空而言，這正是一個冰河時期。

▼從地質學的觀點上來說，現在正是新生代第四紀洪積時代的過度時期，這是人類出現的世紀，也是冰河覆蓋的時代。自從地球誕生以來，不知道經歷了多少次的冰河時期，對於古老的事蹟我們無法得知，因此我們通稱的冰河期就是指第四紀，也就是現在的地質時代。

▼冰河時代包括好幾次的冰期（在歐洲可分為夏爾地亞時期、安薩克魯司時期、濱螺時期、埋期四個時期），其中較暖和的時代稱為間冰期，雖說極寒的冰期已在萬年前結束，但如果冰期會再出現，那麼我們所處的現在，便是間冰期了。事實上，埋期之後直到六、七千年前，是地球最溫暖的時刻，但因日後又逐漸的冷卻，所以X年後，地球再度進入冰期的可能性很大。

▼所謂冰（河）期，並不是說地球完全陷入南極大

陸的狀態。在冰期發展到極點的第四階程埋期時，陸面也只有三分之一為冰雪所覆蓋，當時的情況，就北歐來說，冰河覆蓋的地區，以斯堪地那半島為中心，擴展到東邊的蘇俄，南邊的德國，西邊由北韓到英國，及阿爾卑斯山脈。至於北美，則以哈德遜灣和洛磯山脈為中心，延展到北緯三十九度線的地區，都有二千到三千公尺的冰河。目前，陸地約有十分之一為冰河所覆蓋。

若以氣候來說，熱帶地區比以前高四度，而日本的溫帶氣候則比以前高十度，也就是說，當時東京的氣溫約等於現在北海道的氣溫。

▼然而與前面所說的現象相反的，就是現在的撒哈拉沙漠，在當時它可能也是一個水草豐盛的廣大平原，我們由泰西利（Tassile）遺跡岩洞中的壁畫，可猜想到一個充滿綠色植物的肥沃土壤。

▼如果冰期再度來臨，你要逃到哪裡呢?是不是固步自封，等待死亡呢?我們再看看下文吧!

冰河期　1

45 冰河時期，有很多生物到達日本，而日本的祖先也在這時出現了！

▼冰河期的遺跡，以斯堪地那半島、加拿大各湖泊、美國五大湖，以及U型谷最著名，其中，因冰層的壓力而陷落的地殼，在冰河溶解後再度隆起的有斯堪地那半島和北美一帶；這些地區，直到現在，仍繼續在上升。日本的中部山地，以及北海道的日高山脈也留有冰河侵蝕的山谷痕跡，冰河期所留下來的特殊現象，不只在地形上可明顯的察覺，在平常動物的身上也很容易找到，現在，你是不是急於想解開謎底呢？

▼冰河時期，由於陸上冰河發達，使得水量相對減少，因此海面顯著降低。這和南極洋中的冰山溶解時，會使各方面升高六十公尺的原理相同，而各方面降低又會造成什麼現象呢？地球處於第四冰期時的海面，約比現在低一百公尺，因此日本本州、四國、九州原是相連的陸地。在冰河最發達的一百萬年前，亞洲大陸是一塊

完整的陸地，因此，那些無法長途游泳的動物便紛紛由陸地移到日本了！

▼這項推測，可由在日本各地挖掘出來的大象遺骸得到證實。有人認為，日本的祖先就是為追捕大象才來到此地的，等冰河期結束以後，有些動物滅亡，有些卻跑上山去，譬如高山蝴蝶、高山植物、雷鳥、嘉魚、鱒魚就是最好的例子。

▼至於歐洲的情況就不同了，當綠色大地被冰河覆蓋時，動物們為了尋覓食物紛紛南下，但卻又因阿爾卑斯山的阻礙而滅絕，兩相比較下，日本生物的種類自然遠比歐洲生物種類來得多。而已絕種的大鯢魚化石，被誤認為是原始人嬰兒化石的事，便是最有名的例子。你原以為冰河期就是地球表面被冰雪完全封鎖的錯誤觀念，至此是否有了些許的改變呢？要知道凡事都先要有正確的觀念，才不會產生過分偏差的可笑印象！

冰河期　2

46

你所知道的夜是漆黑的，沒有黑暗的夜，我們稱它為白夜，但為什麼有白夜現象呢？

▼自然界因日落，而產生了漆黑的夜晚，但「白夜」卻是沒有黑暗的夜，這種現象發生在阿拉斯加、瑞典、挪威、蘇俄、冰島的北方城市。在北緯六十六・五度以北的都市，例如，挪威的那維克（Nawik），夏至前後，便有全天白晝的現象。也就是說太陽終日照射，沒有黑夜產生。

▼北緯六十六・五度以北及南緯六十六・五度以南的極區內，每年至少有一天沒有黑夜的日子，至於極地的中心，也就是南極點和北極點，這種現象可長達半年之久。為什麼會有這種現象呢？那是因為地軸以二十三・五度的傾斜角繞日運行時，總會有一個極點正對著太陽的關係。

▼如果你認為夏季的「白夜」非常溫暖，那就錯了，通常北極的平均溫度約在十度以下，而南極更低，約在零度以下。連夏季都在零度以下的南極，幾乎沒有一

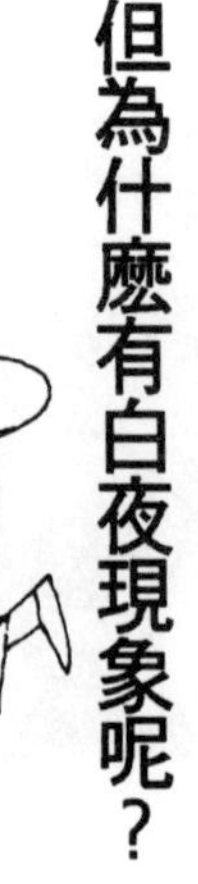

種動物能夠生存，至於植物也只有地衣類和藻類。像這樣開花植物不超過兩種的地區，真是一個單色彩的世界。而大陸內部也沒有哺乳類動物，只有在海中生活的企鵝和海豹。

▼比起南極，北極真可說是一個色彩繽紛的世界，光是植物就有九百多種，至於動物有旅鼠、北極狐、北極兔等小動物，以及較大的麝牛、馴鹿等，種類繁多。此外雷鳥、土著鳥——白貓頭鷹，和夏季的黑鳧、白頰鳧、小鳧、長尾鳧等候鳥，也全到這裡來築巢。在這兒，無論日夜都可以覓食，所以小鳥在短期內就能長成大鳥，獨立飛翔。偶爾，你也能看見巨大的北極熊站立在浮冰上，尋找最美味的食物——黑豹——的情景。

▼在陽光照射不到的北極點，也和南極一樣的寒冷，因此想把白色的極地建設成適合人類生存的環境，恐怕是一件很困難的事。

白夜

47
寒地最大動物的秘密——銀色世界裡，自然雪白的膚色有什麼好處呢？

▼植村直己在一九七八年來到北極圈內的格陵蘭島，獨自在雪地中，冒著隨時與白色猛獸激戰的危險，完成這項壯舉。

▼白色猛獸是什麼？牠就是白熊，白熊又名北極熊，是熊類中體積最大的一種，體重通常在四百公斤以上。而住在北美和蘇俄的雌熊，約有三百六十公斤，本州的和熊則約三百公斤，而馬來西亞的馬來熊卻只有六十五公斤，以這種比例來推算，你就不難想像北極熊龐大的體積了。

▼動物體積北方勝於南方者，不只白熊一種，所有哺乳類動物都是如此。這正是貝爾格曼法則。只要你進入動物園中，就可以很輕易的識別這種現象了。

▼凡是同種的動物，體型愈大，愈容易儲藏能量，因此，為了保存足夠的熱量，寒地的動物都具有較龐大

的體型，例如，白熊披有厚重的毛皮，便是這種原因。

▼如果把這種法則運用在企鵝的身上，你會發現，生長在南極的皇帝企鵝身高約是一百至一百二十公分，而赤道附近的企鵝，卻只有四十到五十公分高，這證明了身材較小較易散發體熱的定則。也證明了在長期的演化過程中，生物不斷進化成最適於生存環境的體型。

▼白熊因體型龐大，故能在零下四十度的冰地中生存，但出生僅有四百五十公克，未長毛皮的小白熊，卻絕無法適應極地寒冷的氣候，因此母熊便在雪中築巢，緊緊抱住小熊，分秒不離，不吃任何食物，直到二百天之後，才結束堅苦的養育工作。

在動物界中，母親似乎都是最偉大的犧牲者，她們對子女的愛真是昊天罔極呀！

白熊

48 白色的百葉箱和黑色的垃圾箱有什麼關係呢？

▼你知道百葉箱的用途嗎？或許你曾經在校園中看見一間小小的白色屋子，佇立在草坪上，小屋中放有溫度計、濕度計和氣壓計；為什麼百葉箱是白的呢？那是因為要降低太陽直接熱度的關係。

▼白和黑對光、熱具有完全相反的性質，黑色能吸收大量的光並儲蓄熱能，但白色卻能反射光線，不受熱的影響。

人們在夏天喜歡穿白色衣服，而在冬天穿黑色，就是運用集溫和散熱的原理。百葉箱也是利用這個特性，才塗成白色，絕不是為了外表美觀。

▼氣溫是指離地面一・五公尺高度的空氣溫度，為了測量這個溫度，人類設置了不會受日光直接影響的白色百葉箱，建築在高約一公尺的四隻木柱上，溫度計放在離地面一・五公尺的位置，為了要使四周通風，所以

使用百葉箱，而在南北各開一個門，又因爲避免地熱的反射，所以將它立在草坪上。觀測時，只要輕開北側的門，以非常迅速的速度完成，為了精確，速度的快捷是非常重要的，最起碼，不可讓手和臉部的溫度影響了氣溫計上的指示溫度。

▼至於環繞地球的衛星聖甲蟲號（Scarab）的太陽板，就是利用黑色吸光的原理，大量而有效的吸取太陽能轉換成電能的太陽電池。

但以前將垃圾桶塗成黑色，只是為了使污穢不明顯，防止蒼蠅、蚊子的群集，與光熱是絕沒有關係的。

百葉箱為什麼是白的

49

電燈是愛迪生發明的嗎？它是怎麼問世的呢？

▼每一個人都曉得白熱電燈炮是愛迪生最偉大的發明，事實上，早在愛迪生發明的二十年前，就有人從事這項研究了。約在一八六〇年，有一個英國人企圖以白金和炭製造照明用具，但它的燃燒時間只有數秒鐘，所以非常不實用。

現在我們來看看愛迪生發明燈泡的經過。

▼一八七九年，愛迪生改艮燈絲，發明了白熱燈泡。他使電流流經燈絲，產生高溫，於是發出白光，這就是白熱燈泡。後來，他又把燈泡抽成真空，結果發現這時燈光比在空氣中強六倍，且能維持較長的時間。雖然成品改進了，但它的壽命仍然只有十分鐘。為了發明成功的燈泡，他用一千六百種的金屬和六千種含碳物質進行實驗，終於發現，由竹子做成的炭線，能使燈光維持一千二百個小時。

▼我們知道，能代替炭線的最好燈絲就是鎢絲，它在接近三千四百度的高溫下才會被熔解，並具有強於鋼鐵四倍的韌度，因此它能夠做成線圈，來增加燈泡的亮度和壽命。

▼為了減低電流傳導時熱量的損失，裝有氣體的燈泡產生了！只要在燈泡中放入含有微量氮氣的氬，就能預防鎢絲熱量的蒸發。

因為氬是不活潑氣體，不容易與物質發生氧化作用，所以能延長鎢絲的壽命。

▼其次再談談愛迪生另一項純科學的發現，那就是「愛迪生效果」，也就是說白熱的燈絲會跳出電子的理論，不要以為這是小題大作，要知道因為這項驚人的發現，才有真空管的誕生。

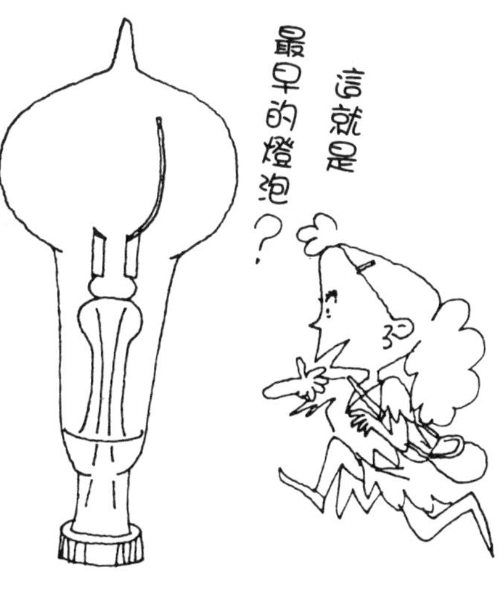

白熱燈泡

50 白光和白星的溫度是多少呢？如何測量數千度以上的高溫呢？

▼黑色的鐵塊變成白色時，約是一百二十度左右，到了發光的程度，則升高到一千三百度，如果發出刺眼的光線，則溫度可以達到一千五百度，你是否聽得懂我說的話呢？這對缺乏科學頭腦的人來說，是無法知道的，因為我所說的是溫度測量法，那和擺在家中的室溫計不同，對於四、五千度以上的高溫，以及遙遠天際的星球溫度，我們有一套特殊的測溫法。

▼任何一種物體受到高溫時，都會使本身發出光彩，光的顏色隨著溫度的高低，有一定的變化，我們就是利用這種變化來測量高溫物體驚人的溫度。

▼因為熔鐵鑪的內部溫度高達攝氏二千度，玻璃製的溫度計絕無法測量這種高溫，但由於經驗的累積，一些熟練的老鐵匠發現，溫度與鐵塊顏色的變化恆久不變，於是他們知道用顏色來判定鐵塊的溫度。這種推理一經擴展，我們便知在天文望遠鏡中裝置燈絲，依顏色的變化，能測出遠處物體的溫度，這也就是光高溫度計。

▼你想知道溫度與顏色的變化情形嗎？通常物體溫度在五百度時會現出暗褐色，一千度時是明亮的紅色，一千一百度時是黃色，其餘的，就像前面所提過的一樣。不論是什麼物質或物體表面是否光滑，形狀是否特異，他們永遠都無法逃出這項法則。

▼因此，在晚上利用光高溫度計來測量天上藍色或紅色的星球溫度，是非常便利而準確的。有了它，我們知道處女座中發出藍色光的α星是一萬八千度灼熱星球，而天鷹座和大犬座中發出白光的α星，約有一萬度，至於黃色的太陽是六千度，而淡黃色的天鵝座α星，卻只是三千度的低溫星球。

▼但是，實際上星的色溫比真正的表面溫度高，因此我們利用裝布紫外線濾光鏡的特殊相機，和裝有紅外線濾光鏡的相機，為同一個星球拍照，再依二張照片的清晰度決定該星球的溫度，用這種方法，我們測出了天蠍座的α線星雖屬於第十三等的暗星，但它的溫度竟高達數十萬度。

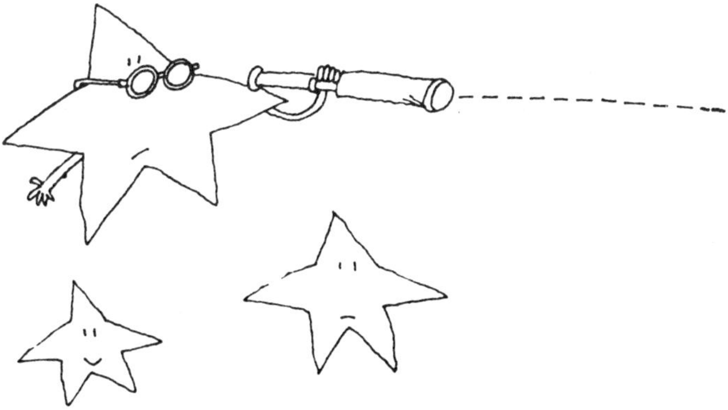

白火焰

51 假想的宇宙噴射口，我們稱它為白洞（White hall）！而白洞的內部狀況如何呢？

▼或許你聽過黑洞（Black hall），而不知道什麼是白洞。現在我告訴你，白洞就是和黑洞相對而尚未被發現的假想天體。

黑洞是一個質量比太陽大五倍的星球，因燃燒完畢而不斷的收縮，成為一立方公分中就有十萬公噸重量的高密度星體，它能吸收宇宙間所有的物體；相對的，宇宙中也該有一個放出物體的洞口，我們先稱它為白洞，這種新的宇宙論你相信嗎？

▼支撐著新宇宙論的是量子和素粒子的說法，也就是說任何一個原子，都是由陽子、中性子所構成的原子核，以及圍繞在原子核四周的電子所構成的。以前人們以為電子全是帶負電的陰電子，但五十五年前，我們發現了陰電子的反物質——帶正電的陽電子。

陽電子和陰電子撞擊時能產生光，這是一項最有力

的陽電子證實法，同時因為我們又發現了反陽子的素粒子以及中性子的素粒子，所以大膽的假設每一個物質都存在另一個反物質。

▼一九五六年，美國的吳福博士發表了新的邏輯學，他認為宇宙間必存在一個巨大的反物質粒子——那就是分裂我們的世界與另外一個完全相反世界的根源。

依據這個理論，我們發現了一個不可思議的現象，那就是發出強光的處女座m—八七星團內部，似乎正在激烈的爆發著……，這可能就是黑洞和白洞撞擊的結果吧！儘管我們有吳福博士的理論，但物質相對的說法在宇宙仍是一個最大的謎。

白洞

52

光芒萬丈的大星球也會變成冰冷的小星，那麼五十億年後，不就是太陽的末日嗎？

▼星球也會衰老嗎？是的！隨著數萬年的流逝，星球也會逐漸的燃盡而消失無形。它燃燒的過程和體積有極密切的關係，由此看來是不是體積愈大壽命愈長呢？

事實上，體積大的星球，由於中心受壓較大且溫度較高，因此燃燒也比較劇烈，而減短了它的壽命。

以太陽的體積約可燃燒一百億年，如果比太陽大一倍，則可燃燒十億年，十倍大的星球卻只能燃燒一千萬年。

▼據推測，太陽已燃燒了五十億年之久，因此它僅剩下五十億年的壽命，那麼六十億年後的世界將是什麼狀況呢？星球的半徑會隨著年歲漸增大，因此六十億年後的太陽體積約膨脹為現在體積的一百到一千倍左右，當它膨脹到二百倍時，便等於地球軌道的半徑了，這時地球和火星就會被太陽吞沒。

事實上，只要太陽脹大百分之二十五，地球就會因太陽熱的逼近而溶化，等太陽不斷膨脹、燃燒後，便又開始收縮而成為現在體積百分之一的小球，並發出白色的暗光，這時的太陽我們稱它為「白色矮星」，白色矮星的密度相當驚人，只要像乒乓球大小的體積，就擁有數頭大象的重量，此後，星球還會慢慢冷卻，而化為烏有，現在天文學家們認為天狼伴星就是「白色矮星」的典型星球。

▼但奇妙的是比太陽大三倍以上的星球，卻不會經歷白色矮星的階段，只會產生大爆發，而成為中型子星，至於比太陽大三十倍的星球，就成了黑洞的來源。

白色矮星

53
科學家的夢想
——富有羅曼蒂克的天鵝座神奇的秘密

▼夏天夜裡，妳抬頭看看銀河，很容易就可以找到一排像十字型的巨大星雲，那就是天鵝座。

希臘傳說中，曾敍說斯巴達王妃麗達變成一隻美麗的天鵝與衆神之王宙斯幽會的愛情故事，因此人們認為天鵝座就是麗達的化身。

宙斯是希臘傳說中最偉大的神，而天鵝座也成為今日人類最注目的美麗星座。

▼然而吸引人的，並不是天鵝尾部那顆發出誘人光彩的一等星，因為科學家證明那只是天上二十多顆一等星中光彩最暗淡的一顆，從明亮度來說，它只配稱為是一、三等星，因此真正受人重視的是肉眼不可見的星。

▼其中，小天鵝座的六十一號星，因四周有行星繞行而受到重視，經科學家觀測的結果，發現它是具有大於木星十五倍質量且不發光的神秘星球。

▼位於左側翅膀附近的威爾（Veil）星雲也是我們注意的目標之一，它是六萬年前因星球爆發而遺留下來像面紗般飄浮的星雲，而現在它正發出強烈的電波，以每秒一百公里的速度，繼續爆發、膨脹！

▼此外，在天鵝座A的位置上，有兩個星座因重合而發出強力的電波。起初，科學家以為那是星雲相撞擊的結果，但最近卻又認為，那可能是星雲內部爆發所造成的現象。至於A附近的X—I，也因發出強烈的X線而受到注目。

一九二七年，更發現它環繞著一個不可見的星球運行，並向那顆星球放出氣體，據說，那可能是一顆像黑洞一樣不可知的星，總之，天鵝座充滿了像謎一樣的夢。

天鵝座

54

從白堊期遺留下來的白色地層中，充滿了巨型恐龍的化石和謎！

▼地球上最大的肉食動物——霸王龍在地面從容的行走，長頸龍和古代鯨魚在海邊爭鬥的時代你聽說過嗎？

約在一億三千五百萬年到六千五百萬年前的白堊紀時代，地表上分佈著各種巨型的恐龍，我們由白堊紀地層中的動物化石，得到了最有力證據，因此，白堊紀地層就是恐龍化石的寶庫。

▼那個時代為什麼叫做白堊紀呢？這個名稱是得自英國海峽兩岸、多佛海港以及法國北岸所分佈的白色地層；由貝殼和多孔蟲類的甲骨所堆積而成的石灰岩地層，在這一帶特別發達，使得地層呈現白色。因此命名為白堊紀。但白堊紀時代的地表並不是完全由白色岩石所構成，而大部分是由沙、泥和碎石所堆積起來的。

在日本的北海道、北上山地、關東山地、紀伊半島、四國和九州等地，也是白堊紀的代表，如果你肯挖掘，或許能幸運地發現恐龍的化石！

▼但是到目前為止，從日本白堊紀地形中所挖掘出來的只有草食性恐龍，至於肉食性的獸類，只有不屬於恐龍的雙葉棱木長頸龍。

▼在白堊紀之前的侏羅紀，曾出現過體長三十公尺，體重三十五公噸的雷龍和異龍等體積巨大的獸類，這是恐龍最繁盛的時代，到了白堊紀是的確出現過鐵洛龍、禽龍、三角龍、鴨嘴恐龍和其他多種不同的恐龍，但這也是一個恐龍快速滅絕的時代。

為什麼恐龍會從地球生物中絕跡呢？

▼原來，在白堊紀末期，因為地殼變動以及氣溫降低的關係，使地表乾燥地區大量增加，因此草食動物的主食——羊齒植物便供不應求，而造成恐龍絕跡的現象。但另一個有趣的說法是認為當時由於哺乳動物快速繁殖，而吞食了恐龍的蛋，才使這種龐大的爬蟲動物由地球上絕種，但這種說法是毫無根據的。白堊紀地層中遺有很多解不開的謎，等著我們去發覺。

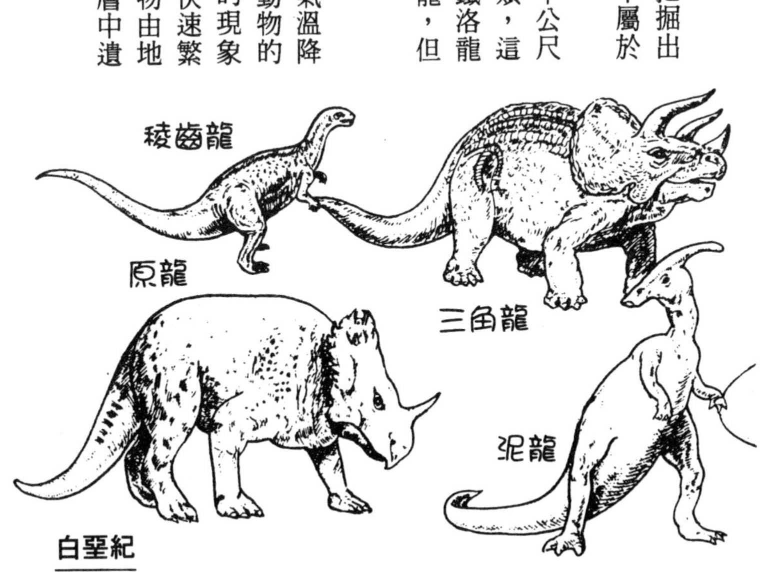

55

讓討厭的白蛆協助我們推理吧！

▼一聽到蛆就令人噁心，難怪有人要罵社會的敗類為「蛆」；可見牠有多討厭，但令人厭惡的蛆有時也是很有用的。

▼蛆就是蒼蠅和虻的幼蟲，牠並不如我們想像中那麼骯髒，而且是垂釣時最上等的魚耳。

▼命案發生後，凶手會把屍體藏在隱密的地方，數天後，腐爛的屍體被發現了，警方便開始利用這具腐臭的屍體來推斷被害者死亡的時間。

這是新聞報導中經常可見的殺人案件。專案小組仔細搜尋各方的資料，以期早日破案，然而檢查官為了判定死者遇害的正確時間，卻細心的觀察腐屍上成群的白蛆。屍體的惡臭，引來了各種昆蟲，其中食慾最強盛的蛆蟲，就像屍體的清潔夫一樣特別活躍，現在，我們要注意的不是白蛆的消化過程。

▼被屍臭引來的蒼蠅在屍體上產卵，卵很快的孵成幼蟲，幼蟲經過三次蛻殼後變成蛹，而後才變為成蟲——蒼蠅。蒼蠅的幼蟲可分為三個成長期，因此牠如同時刻表般，是判斷死者死亡日期最準確的紀錄者。

▼判定屍體上白蛆的成長期並不困難，因為每一期幼蟲都有顯著的不同：第一期白蛆沒有前方氣門，第二期白蛆的後方氣門有二個裂孔，第三期白蛆則有三個裂孔，根據這種差異來分別白蛆的成長時間，再配合對照蒼蠅成長溫度表，就能很快的算出蒼蠅產卵的時間，並推出死者遇害的日期。

藉著這種方法求得正確答案的事件不勝枚舉，因此，令人厭惡的蛆，實際上是警方最得力的助手。

白蛆

56

白蟻是人們最討厭的害蟲！現在讓我們來談談牠驚人消化器的秘密

▼所有災害中，以火災的破壞力最強，但與它旗鼓相當，堪稱災害之首的還有可怕白色昆蟲所造成的破壞，牠能將木材、混泥土、房屋地基和大柱子的內部完全侵蝕，因此經白蟻啃噬過的房屋，只要遇到輕微的震動或風暴時就很容易倒塌，失去原來的面目。就拿日本福岡縣的宗像神社來說吧！在四百年中已足足整修了三千次之多。

▼白蟻因具有特殊的食性，而在自然界中佔著極重要的地位。牠吃掉了落葉和枯木，才使森林永遠保持乾淨，不致妨礙新苗的成長。加上牠的排泄物是植物最肥沃的養料，所以白蟻自然而然的成為森林中的清潔夫和施肥者。

▼雖然白蟻稱為蟻，但牠與螞蟻毫無關係。大約三億年前，專門以樹木為主食的蜚蠊，就是白蟻的同種生

物，蜚蠊表現了強大的食性且不斷的繁殖。而白蟻卻過著群體的生活，以木材為主食，漸漸壯大，事實上，白蟻和變形蟲的原生動物有非常密切的關係。

▼白蟻既然以木材為食物，就必須具有消化木材的能力，但木材的纖維是一種堅韌不易消化的物質，所以在白蟻的腸內存在某種原生動物，這些寄生物能分泌分解纖維的酸素，因此不論白蟻吃下多少木材，都能被完全的消化，這真是自然界完美而奇妙的搭配。

▼雌白蟻的腸中雖有原生動物，但剛出生的小白蟻卻沒有，所以小白蟻無法消化木材中的纖維素，於是母蟻便從尾部排出含有原生動物的物質來餵食小白蟻。靠著這一種舔食的肌膚之情，白蟻發展成龐大數量的群體，牠們的組織猶如人類社會，同樣具有兵、工和后主的階級，是一種重視親情的生物。

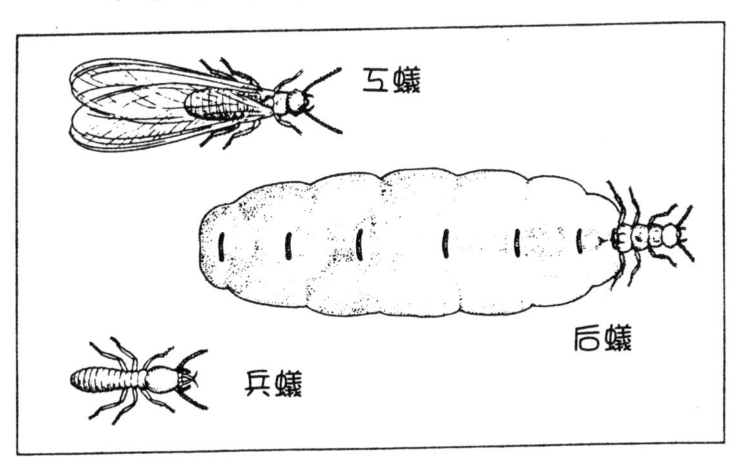

白蟻

57

專食植物的白色惡魔以及制伏惡魔的正義者！

▼大約三十年前的一個八月天，東京上野公園裡的篠懸木和櫻花樹呈現萬條的枯枝，沒有一片翠綠的葉子。這種現象破壞了日本觀光景物長達二十年之久，但後來災情又逐漸消失了！吃盡樹葉的惡魔是什麼呢？為什麼這種災害又自動停止了呢？

▼據調查發現吃葉子的惡魔就是從未在日本出現過的白蛾！牠來自美洲大陸，屬燈蛾科。因此命名為美國白燈蛾。

白燈蛾在日本大量繁殖，釀成災害，卻又自然消失……這種奇異的現象正是大自然中非常神奇的一環！

▼白蛾在葉子背面產卵，經幼蟲、蛹的過程，而變成成蟲，蛹需歷經七期才能長大為成蟲，白蛾每年有二次成長期，繁殖力似乎極為旺盛。

▼現在讓我們來看看蛾卵的成長率。首先要說的是

春夏間的情形！通常一隻白蛾能產下四千個卵，在孵化為一期幼蟲時，因受花蜘蛛和草蜻蛉的吞滅，所以，能長成二期幼蟲的約有二千二百隻，經生長演化後能長成四期幼蟲的約有一千四百隻，後又因受小鳥和拖足蜂的侵襲，能順利長成七期幼蟲的只有四十隻，可是七期幼蟲仍會受到寄生蠅的迫害，因此，能夠變成蛹的僅存九隻，而蛹又因黴菌的侵害，最後能平安長大的只剩下七隻了。

▼這是大自然中循環的明證，也是物競天擇的定律。初生的幼蟲生命力都極微弱，但來自遠方的惡魔——美國白燈蛾，因未遭遇妨害牠生長的昆蟲和鳥類，所以能順利的成長而給植物帶來最嚴重的危害；二十年後，因環境的變遷，造成消滅白蛾幼蟲的有力因素，於是白蛾便自然消失了！

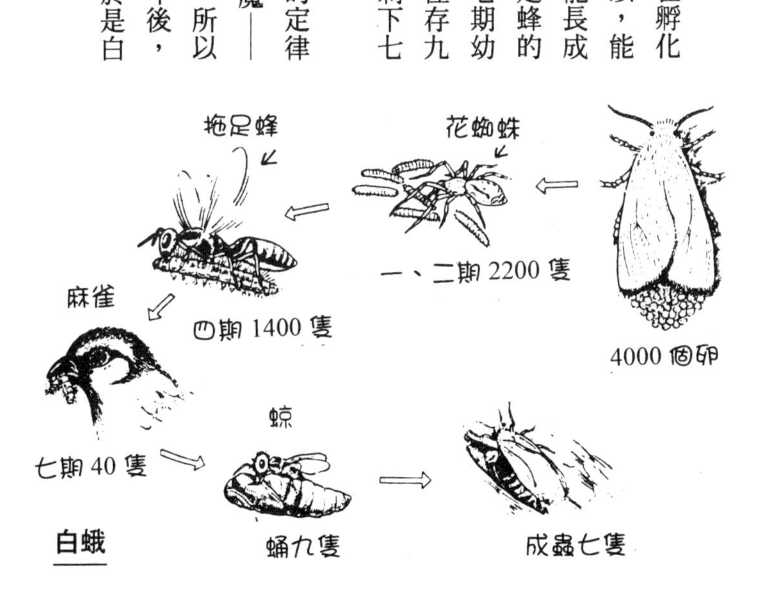

58

蠶吐出的液體，為什麼會變成絲？能製成雪白絲綢的蠶絲被公認是東方的秘密！

▼你知道「絲路」嗎？這是二千年前中國為了運送絲綢所開闢的，經由土耳其、伊朗、中亞、遠至羅馬，長遠數千公里的一條路線。當時，絲綢如同黃金般貴重，是四方民族眼中最有魅力，最有價值的纖維。

▼至於日本，也因抽絲法的輸入，使絲織成為日本出口大宗。但自一九三六年美國發明人造纖維以後，絲綢的地位便一落千丈，養蠶業也隨之沒落。也許你連蠶都不曾見過呢！

▼蠶是蠶蛾的幼蟲，模樣類似蠋，是一種非常偏食的生物，除了桑葉一概不吃。蠶以桑葉為食，漸漸成長結成繭，人們就把繭拿來煮過後開始抽絲，估計一個繭約可抽出長遠一千三百公尺的絲，這些絲便是綢緞的來源。

▼蠶絲究竟如何產生的呢？如果你剖開蠶腹，也只

能看到液體卻找不到線狀物，有人認為這些液體與外界接觸時，因乾燥而凝結成絲，也有人以為是因與氧、二氧化碳發生作用的結果，更有人認為是這些液體與口中另一種液體相混合，才產生了這麼輕柔的絲，但這些都只是猜測，不足為定論。

▼你是否仔細看過蠶吐絲的情景呢？牠將頭部左右擺動吐出細絲纏繞自己的身體成為繭。事實上，蠶頭部的擺動就是絲產生的秘密。

當蠶腹部的黏液，由口中吐出時，就是利用擺動所造成的「拖拉」作用來產生固體的絲，這是非常特殊的構造，所以儘管你頭部如何擺動，所吐出來的永遠只是唾液不會是細白的絲。

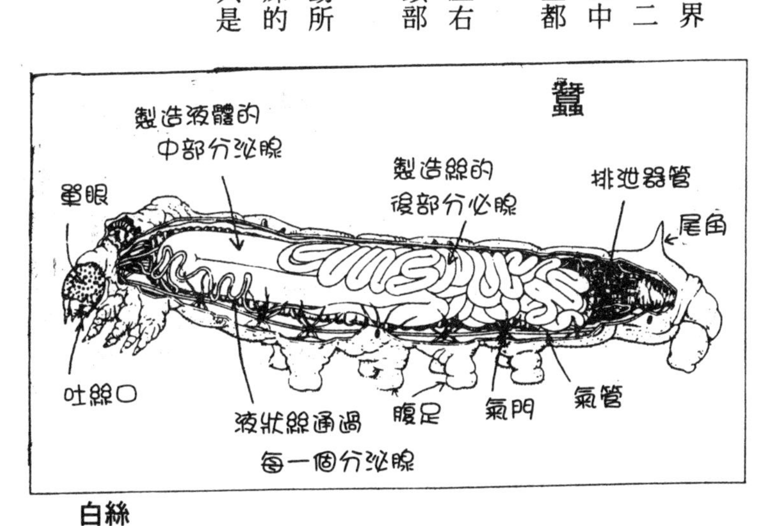

白絲

59 雄性白色蝴蝶和白紋蝶如何尋找伴侶呢？

▼人類能輕易而正確的分辨對方的性別，但對那些不知道自己的長相，也不認識父母的低等動物來說，分辨同類的差異是很困難的。

現在我們所說的「同類」不是指蝶類或蜂類這種大的範圍，而是指更細的屬、種而言。

例如白紋蝶、拖足蜂等等，這就是生物界最細的分類，我們稱它為「種」。

▼為什麼要有這樣細密的分類呢？因為不同種的生物交配後，會使新生的一代失去繁殖的能力。也就是說雌雄白紋蝶交配後能產生健全的下一代，但如果讓白紋蝶和鳳蝶交配，便產生了沒有生殖能力的後代，因此為了避免不同種生物互相交配，造物者賜予牠們一種極微妙而特殊的能力！

▼雄白紋蝶如何尋找伴侶呢？在廣大生物界中，蝶

類共分為一萬三千多種，而類似白紋蝶的也不在少數，要從這麼多種類中去分辨同種蝶類，實在不是容易的事。

▼經過觀察我們發現，雄白紋蝶必定在雌白紋蝶合翅停息時前來。雖然在形態、色澤上我們無法分別雌雄，但很快的我們知道雌白紋蝶的翅膀內側有一種肉眼不可見的紫外線光，藉著陽光的反射與翅膀本身可見的顏色相混合而呈現在雄白紋蝶的眼前，這就是吸引雄白紋蝶的特有色彩。

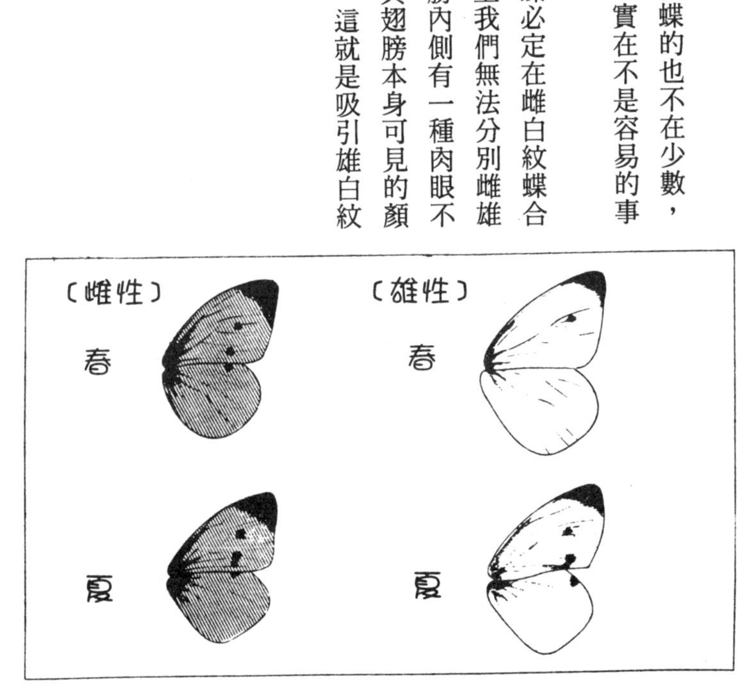

白蝴蝶

60 榮獲諾貝爾獎的白粉——DDT，反而促使害蟲大量的繁殖，於是在三十年後不再被使用了

▼你見過跳蚤和蝨子嗎？大部分的人可能都沒見過。牠們是吸取人血的蟲類，當你被咬時不僅會發癢，有時還會感染瘟疫或花疹傷寒。目前這種病害已絕跡了，但在二次大戰後，約有半數以上的女孩頭上都長著蝨子，且在家裡也很容易看到跳蚤。

當時，為了制服這些擾人的小東西，就發明了白色的DDT粉末，它被公認為是強力殺蟲劑，有許多人的頭上撒滿了這種白粉，說不定你的母親也是其中之一呢！

▼雖然跳蚤、蝨子被消滅了，但好景不常，問題終於出現了。

DDT是一八七四年在德國發明的，它的全名是：Dichloro-diphenpl-trichloroethane，直到一九三九年瑞士的保羅、墨勒（Paul Muller）才發現它具有強烈的殺蟲效果，而獲得一九四八年的諾貝爾醫藥獎。

▼DDT除了能消滅跳蚤、蝨子外，對所有的植物害蟲和農作害蟲同樣具有效力，因此廣受大衆的喜好。但普遍使用後卻發生了奇怪的反應，一些沒有直接接觸DDT的鳥類、魚類也遭受毒害而死亡，因此人類欲消滅的昆蟲反而得到生存，滅除了自然的敵人。

▼經分析發現鳥、魚的體內含有高濃度的DDT，原來掉落水面的DDT被浮游植物所吸收，魚類吃到這些浮游植物後，DDT便積存在脂肪層中，無法排出體外，經過相當的時日後便產生中毒死亡的現象。

▼由於捕食昆蟲的鳥類逐漸死亡，使得少數生存的昆蟲得到繁殖的良好環境，因此蟲類再度壯大，騷擾人類的安寧，於是人們才體會到大自然絕不是人力所能支配的。曾榮獲諾貝爾獎並殺害了許多生命的白色粉末，終於在三十年後成為禁用物品，不再為人類所信賴！

白粉

61

突變能使某些生物全身發白，而人們視「白」為神明的使節！

▼如果有人說蛇長長的身軀繞成一團時吐出鮮紅色的舌頭非常可愛，你必定會把他當做瘋子！但你千萬別說你討厭它，自古以來蛇就佔有特殊的神聖地位，在我們的觀念中認為蛇就是福德正神的化身！

▼在日本，幾乎每家都供奉蛇神，但被視為保護神的並不是一般可見的蛇，而是指全身雪白的白蛇！

白蛇並不是特別屬於某一獨立的蛇種，而是喜歡住在舊舍閣樓中的黃頷蛇因突變失去了體內的黑色素而白化的結果。

動物白化的機率僅僅是萬分之一，是非常難得的，再加上白色身軀不易隱藏，又增加了牠死亡的機會，因此更加珍貴！

▼白蛇喜歡在閣樓或榻榻米下爬行，牠不會攻擊人類，只會吞食老鼠，因此受到人們的保護，得以長久生

存！

自然界中的白色動物並不是全因突變而來，牠們之間的差異只要你稍微用心去觀察就不難發現了，因突變而失去黑色素的動物眼睛是透明的，我們可以非常清晰的看見血液的顏色，也就是說牠們的眼睛會呈現紅色，所以白貓、天鵝等都不是突變的生物！

白蛇

62 為了保護自己而由黑色變成白色的特殊天然紀念品！

▼在日本有一種由冰河期遺存下來的美麗白鳥稱為雷鳥，牠被指認為特別的天然紀念品，是世界稀有鳥類之一，為什麼牠會如此珍貴呢？

▼雷鳥被視為冰河時期所留下來的活化石，牠本來是住在北極和阿拉斯加等寒冷地區的黑色鳥類，約在二百萬年前的冰河時代，牠們飛越冰海來到日本，等冰河期結束後，日本氣溫逐漸暖和，使列島與大陸隔離，這些生長於寒帶且飛行力薄弱的雷鳥只好移居氣溫較低的高地，直到現在，日本飛驒山脈二千五百公尺以上的地區仍可見雷鳥的蹤跡。

▼談到這裡，你大概還想不通雷鳥與白有什麼關係吧！你先不要著急，讓我慢慢告訴你！

住在北極一帶的雷鳥是黑色的，雖然在白色世界中牠顯得格外容易被發現，但因牠居住在森林中，所以黑

色並不會造成太大的威脅，可是日本的高山只長著矮小的松樹並佈滿岩石，一到冬天，山頭完全被雪覆蓋，根本找不到隱身之處！

▼奇妙的造物者真是令人難以揣測，祂賜給日本的雷鳥一種特異的能力，牠們的毛色會隨季節而變化！在不下雪的夏季，雷鳥的羽毛如同岩石般顯出灰暗的茶褐色，但一到十一月，牠自然長出雪白的羽毛，因此在雪中極不容易被發現。

為什麼會有這種奇妙的變化呢？到目前我們仍無法找出答案，或許這和氣候及日照對荷爾蒙的刺激有關吧！

▼在世界上數萬種飛禽中，能因季節改變毛色的恐怕只有日本的雷鳥，因此雷鳥在銀色世界中仍然能夠安全的生存，不被敵人發現，留存千萬年。

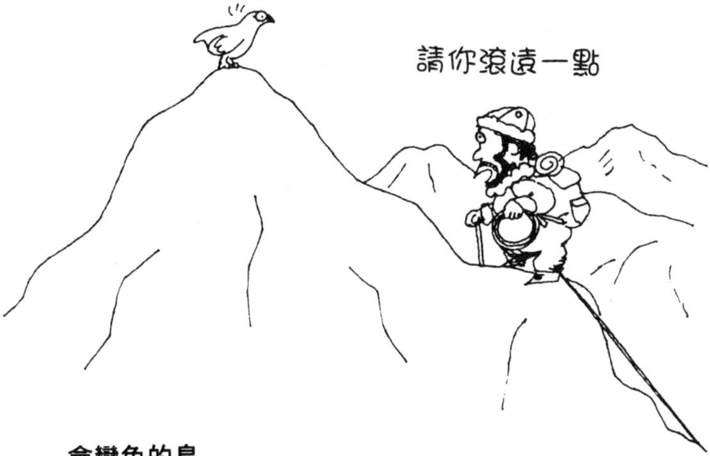

會變色的鳥

63

由於長得太美麗而遭遇到殘酷命運的白鷺

▼鷺是一種很美麗的鳥。

▼在我們的印象中鷺是白色的。但是也有許多像五類鷺一樣並不是白色的。通常鷺都是指白鷺而言。由於牠美麗、潔白的外形，因而受到民衆的寵愛。在日本有一座白色美麗的姬路城，又叫白鷺城。這城是集世代築城技術之精華。

它的建築形狀極像白鷺飛時美麗的姿勢，全城雪白非常美觀，所以又稱為白鷺城。

▼平常能看到的白鷺有大、中、小三種。小鷺「二十四～二十八公分」，中鷺「二十七～三十二公分」，大鷺「三十四～三十九公分」等等，這三種鷺都生長在水邊。牠們在田裡、沼池等地尋找著青蛙、魚、昆蟲、蝌蛄等作為食物。到了夏季的繁殖期，這些白鷺都集中在一起，產生他們的下一代，到了夏季的末期就成群的

往東南亞飛去。

▼但是由於人類的貪心，不斷的捕捉，迫使這種美麗的白鷺遭遇到絕種殘酷的命運。例如，在日本江戶時代，有一種美麗朱色羽毛的朱鷺，也由於人類的捕捉，利用牠美麗的羽毛做為裝飾物，以至於現在已很少再看到牠的蹤跡了。

▼白鷺在繁殖期時長在胸部與背部的羽毛，人們將它裝飾在帽子。在以前歐美婦女帽子上所裝飾的美麗羽毛都是由此而來的。由於人們無停止的捕捉，因此白鷺已減少了許多。

▼如今，日本白鷺也正遭受著同樣的危機。

白鷺

64
由於毛的顏色與衆不同，而不存在的白獅子

▼日本有一位叫手塚冶虫的漫畫家，在他的漫畫名著「密林大帝」中描述一隻叫利歐的小白獅，由於牠的聰明機智，而統領了王國。而這一動物王國的統制者每一代都是由獅子來繼承領導。其實白獅子並沒有像這漫畫中所講的那樣幸運。

▼在一九七五年十月，南非的釘巴巴地草原上，誕生了三隻小獅子，其中兩隻是白色的，因而造成了轟動。

▼在以往，同時產出三隻小獅，而又是兩隻白顏色的這是幾乎沒有發生過，是很少見的事情。這兩隻可愛的小白獅子，牠的眼睛是與母親一樣的黃金色。為什麼這母獅會產下與牠不同顏色的小白獅呢？我們推論可能這獅子帶有白色的遺傳基因在。同樣的這兩隻可愛的小白獅在牠的後代子孫中，仍然會產生小白獅的可能性。

然而在以往我們為什麼沒有看見過白獅子呢?這秘密是在那裡?生活在大自然界、森林裡的獅群，通常是以一到兩隻雄獅為中心，及數隻的母獅與小獅子一同生活在一起。在這獅群中的小獅子，從母獅或其他獅子中獲得食物得到適當的保護。但是小獅子長到了二、三歲時便要離開獅群去過著奮鬥、獨立的生活。

▼通常捕捉獅子的獵人，他們事先在森林裡佈置陷阱或等機會偷偷的接近牠，而趁其不注意時捕捉。由於白色獅子，目標太明顯了，容易引人注目，就是在黑暗的地方也很容易被發現。由於這些緣故，白獅子想要延綿子孫是一件相當不容易的事。

▼所以發現白獅的人，為了想要使白獅子能繼續延綿牠的後代，不至有絕種之慮，想把這白獅飼養在人們所造的野生動物園內。如此似乎來得比較安全。

白獅子

65 如今已經變成為生蛋機器的母雞，牠的生活是很痛苦的。

▼你知道嗎？白白圓圓的，可以吃的是什麼？那就是雞蛋。這白色的雞蛋，人一年吃多少呢？這個答案會令人很驚訝。大約一年每人吃三百個，這其中包括生吃、熟食、作麵包、餅乾及油炸物在內。吃了這麼多的雞蛋，你可知道，在背地裡，母雞的生活是多麼的可憐、殘酷嗎？

▼在不久以前，我們到鄉下去，經常可看到那些在野外活動，尋找食物吃的雞，牠們到處走動，無拘無束地過著悠閒自在的生活。但是現在大部分的雞，想要過這種悠閒、自在的日子，恐怕連作夢也作不到了，更何況現在都是採取大量集中的飼養法。這些可憐的雞兒們，被關在鐵絲網做的籠子裡，既窄又小，連個身體要轉動的地方都沒有。

▼新式的養雞法，飼料及水都利用輸送帶自動送去

的，所生產的蛋也是用輸送帶來處理搜集。由於晚上也點燃電燈，雞的睡眠時間因而被剝奪了，這樣雞體內的荷爾蒙失去了平衡，就能大量、快速的生產雞蛋。如此的殘害牠的身體，使得生蛋率降低或不再生產的雞，牠們悲慘的命運就來了——被宰殺而供人們食用。

▼這些雞由於生長在窄小的籠子裡生活，以至於運動不足，又缺乏陽光的照射，所以很容易產生疾病。而人們為了要預防牠們生病，就在飼料中摻入抗生素。

▼但是如此殘酷的破害，其最後也是害到人類本身。因為我們所吃的雞蛋、雞肉中都含有藥物的成份。雖然最近有限制抗生素的摻入，但是對於人們仍然是有影響的。

▼在以往，雞蛋用手緊握是不容易破的，但是由於上面所說的種種因素，使現在的蛋很容易被捏破。

白蛋

66 魚白色的腹部是用來保護自己、偽裝自己，欺騙敵人而不致受到攻擊

▼當你看到魚在水裡游時，有沒有發生這個疑問，為什麼魚的腹部是白色，背部是藍黑色？其實魚的這種巧妙配色是用來掩藏自己，才不容易受到侵略者的襲擊。

▼你有沒有這樣的經驗？被飼養在魚池裡的鯉魚、鱒魚，當你從水面上看下去時，幾乎看不到他們的影子，這是因為魚身的顏色與水色合而為一，溶在一起了，所以看不清楚牠們。

也就是說藍黑色的背部從水面上看下去是與水同樣的顏色。而白色的腹部也會變成暗影，使整條魚與水融成同樣的顏色，而不容易明顯的看見。具有這種顏色偽裝作用的魚，都是生活在靠近水面的地方。

牠們本身並沒有尖銳的武器，對於空中鳥類突來的攻擊，既無法避免又無法反攻，所以最好的保衛方法是

隱藏自己，不被敵人發現。

▼相反的，對於水下面來的攻擊，牠白色的腹部也非常有用。白色由下往上看也跟上層明亮的水面一樣，不容易被發現，這跟戰鬥機的腹部塗成藍色，由下面看上去不易發現，是一樣的道理。大自然界巧妙的安排，使得這些軟弱、沒有武器的魚能靠著這身體的配色得以保護自己，生存下去。

▼還有一種叫黑背鰮的魚，牠身體具有珍珠的光澤，能反射光使自己本身融化在周圍環境的顏色中，而不容易被發現。

這一種魚在牠的鱗中含有一層叫鳥尿素的廢物結晶體。這結晶體在光反射的時候，就會讓別人看成白色或者是銀色。當這種魚成群發光時，攻擊者就無法瞄準目標。

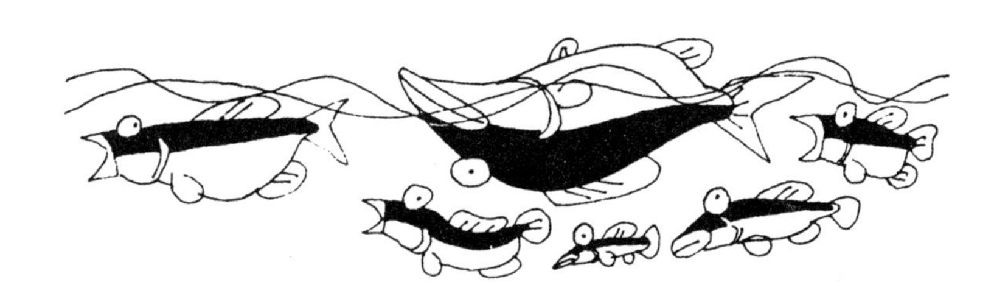

白腹

67 有一種特殊的魚，當牠活時身體是透明的，死了之後卻變為白色。到底牠是銀魚？還是白子魚？

▼你知道名叫銀魚的這種魚吧？此魚分佈在日本的各地。由於這幾年來工業的發達，使得各地的沼池地、河川水質受到汚染。生存在這水中的魚類也受到災殃而逐漸死亡、減少。

也許有許多人還不知道有這種魚呢！現在讓我來告訴你，有關這種魚的資料。

▼這種白魚比我們的小指還要小，全身雪白，長約八公分。牠是生長在海水與淡水較低鹽份的水裡。奇妙的是這種小白魚在水中游時全身變為透明，所以若不仔細看是看不到的。

▼這種小白魚死了之後，透明的魚身就變為乳白色。

▼有一種叫白子魚的，牠的形狀和銀魚（白魚科）很相似，很容易使人分辨錯誤，牠是屬於鯊魚科的一種

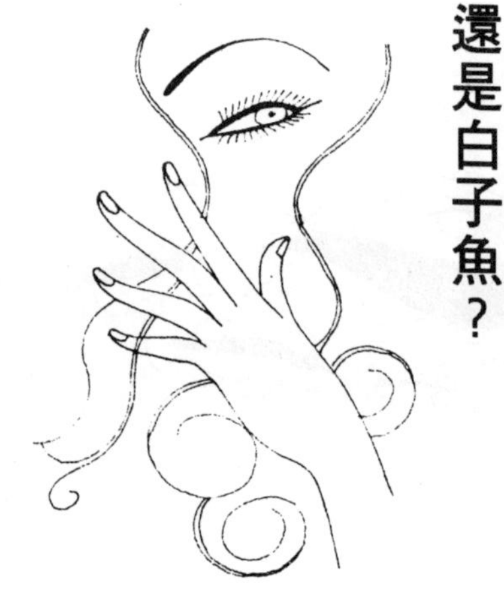

。在日本九州，有一種叫「活吃白魚」的料理，就是用大碗盛滿水，讓這白子魚在裡面游，而後將牠挾來活吃。這是一種很殘忍的吃法。

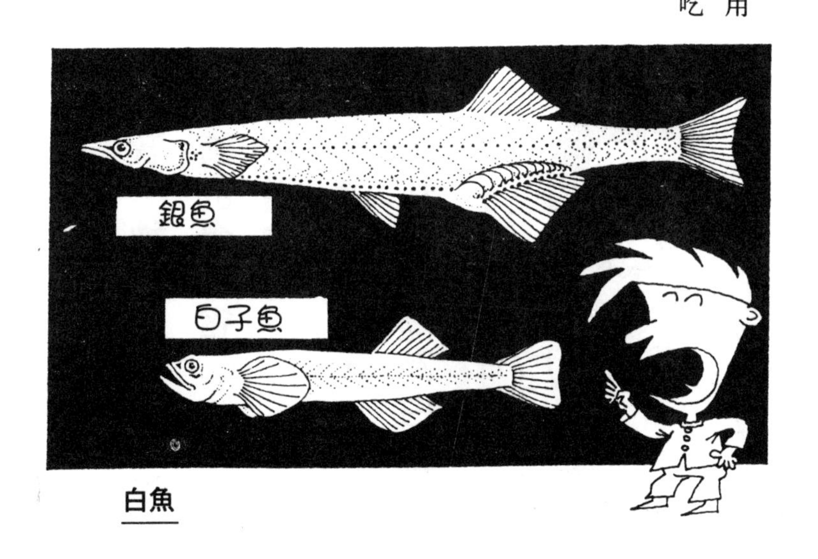

白魚

68

海豚，被稱為「海的金絲雀」當牠出生時身體是黑色的，長大以後才變為白色

▼不久以前，有一部電影，內容是描述一種叫逆戟鯨的魚，向人報仇的可怕故事。這種可怕又兇猛的逆戟鯨是住在北海一帶。在這一帶又有一種全身比冰山還要雪白的海豚生活在這裡。

這種白海豚另一個名字叫白鯨。

▼這白海豚，當牠出生時身體是黑色的，隨著長大而越來越白。鯧魚、鰻魚等這些魚類，是在幼魚時代很白，所以被稱為白子魚。然而牠們也隨著成長而愈變愈黑，這與白海豚正好相反。在這海豚生產季節來臨時，便有好幾千隻的雌白海豚與雄白海豚集體的聚集在加拿大哈德遜灣相親、結婚。

▼這海豚與人類一樣是哺乳類動物，也需要呼吸空氣。當白海豚生下黑色的小海豚時，就立刻抱起小海豚在水面上呼吸空氣。哺乳時小海豚則把臉部插進白海豚袋狀似的腹部中吃奶。牠們都是集體的養育下一代，使

得白色的乳汁散布在海面上，把海水染成了白色。由於海豚的奶水極濃，所以小海豚成長得非常快。

▼當阿拉斯加短暫的夏季開始時，白海豚就會成群的游到這海岸來，用鏢鎗來捕殺牠們。那些可憐被鏢射中的白海豚就會發出痛苦的吱吱叫聲。由於這緣故所以被稱為海中金絲雀。

▼這種白海豚可發出四千赫以上的高音。當牠發出這聲音時，不曉得的人會以為牠們在彼此談話。其實牠們是在聽自己所發出聲音的迴響，正確的辨別食物與岩石等等，這具有音響探測器的作用。

▼海豚的喉嚨沒有聲帶，究竟牠的聲音是從什麼地方發出的呢？原來是在牠噴氣孔裡面一個小小的房間裡。它能使空氣震動而發出二十萬赫的聲音。

當這海豚要發出聲音時，會收緊下巴的肌肉，使頭上突起部分膨脹，而這突起的地方裡面具有油，能使聲音更擴大的功能。

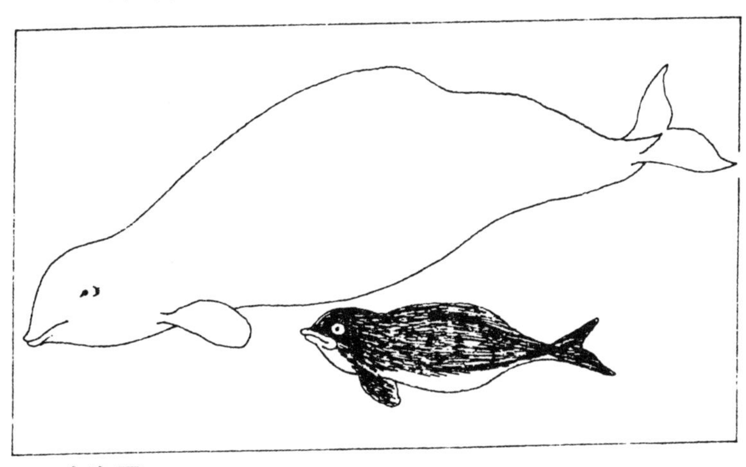

白海豚

69 白金是一種比黃金更具有價值的金屬，它是女人們所喜歡的

▼你對於女人們所喜愛的寶石、瑪瑙和貴金屬，具有多少的知識呢？也許你的女朋友會請教你有關白金的問題，那時你要如何回答。如果你喜歡這位女朋友，想討得她的歡心的話，那麼你就必須具備有對黃金、白金等貴金屬有關的知識，否則你可能會嘗到被拋棄的滋味。

▼通常白金是與黃金混合，如此與白金混合後的黃金顏色會比原來更加美麗。一般最高價的是白K金，它的成份是三分的黃金與一分的白金混合的。也有另外一種品質較差的白金，是因為它的成份除了有白金、黃金外又加了百分之十的鎳和亞鉛。白金大約在二百五十年前，也就是西元一七四八年在南非發現，而成為新元素。比起那些古代就被發現的金、銀、銅等來得晚些，所以它是屬於新的金屬。雖然原住民早就知道有這白金的存在，可是他們卻以為是銀的贗品而去掉，這實在是一件很可惜的事。俄羅斯（以前的蘇聯）在一八三○年前

製造白金的硬幣之前，也是在白金的周圍渡上一層黃金，以便當成為金幣。說來這種方法實在太可笑、太愚昧了。

▼白金的比重是鉛的二倍，黃金的一・一倍。離子化傾向僅次於黃金，也就是說白金是與黃金一樣不容易受到酸性與鹼性的侵害。除了濃鹽酸三、濃硝酸一所混合的王水及強鹼之外，它是不會被溶化的。而且白金只佔有全地球的元素量百分之○・○○○○○一的儲藏量而已。這是白金高價的理由所在。

▼這種貴重的金屬，如果你以為只能做做女孩子的戒指、別針，那就錯了。因為白金具有不容易受到化學藥品的侵損，及很容易導電的性能，所以大部分是被利用在電器方面，如電視機、電算機等等。

▼當然除了做裝飾物及電器外，它也被利用在其他的地方，如最標準的重量器具也是用白金所製成的，其他如化學工廠也是多量的在使用。將白金弄碎使其附著於石棉上，這是要做硫酸不可缺乏的觸媒。

白金

70

古時候，象徵幸福的是白銀而不是黃金

▼我們這裡所要說的銀是指白銀。銀的原子量一〇八，溶點九六〇・七度，沸點一九八〇度，比重是一〇・五。

▼現在的銀價是比金價略低。但在古埃及正好相反，而是銀比金價高。那是因為在古時對於銀精鍊方法還沒有發達，而且銀的開採量比黃金少。

▼在中世紀的歐洲，由於銀被大量的開採，所以在貴族中所用的餐具也都是用銀製的，如銀盤子、銀湯匙等等，當然這也是象徵財富與勢力。現在我們來介紹一個有趣的故事。

▼十五世紀末期在英國，他們有一種習俗，就是當孩子出生而要接受基督教之洗禮時，被請替小孩取名字的人就要贈送湯匙給這新生兒，他們稱這湯匙為使徒之湯匙。比較富有的家庭則要贈送基督及其他十二門徒所

設計的十三隻銀製湯匙，而一般不太富有的則只送一支鍍銀的湯匙。

▼從這習俗來看，如果是生在富有家庭的小孩，是幸運的。英語有句成語來描述它：「嘴銜著銀湯匙而出生。」若以中國話來說，就是嘴含著銀筷子來世上。

▼然而也有一句話說：「金銀再多也比不上智慧及好的子女們。」

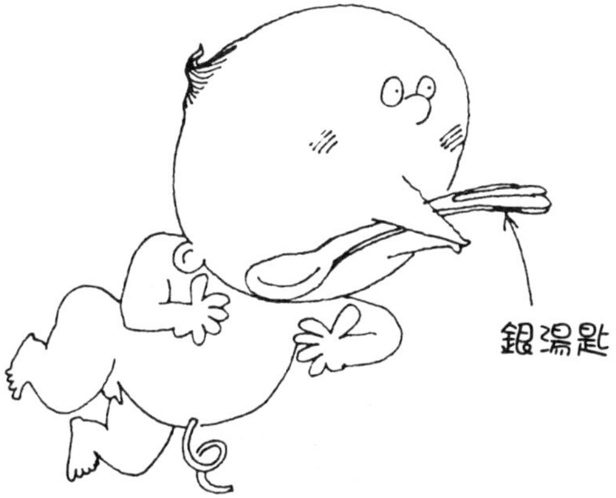

白銀

71

自古以來，白牙象徵著恐怖和強大有力

▼白色的動物，自古以來就被人們認為是純潔、神聖的。同樣的也認為他們的牙齒可用來避邪、做護身。最近有許多到國外旅行回來的年輕人，他們買了很多老虎、山豬、鯊魚的牙齒，做為項鍊的墜子。然而他們卻不知道以前人類胸前帶著牙齒的意義，而今他們卻隨便掛在胸前做為裝飾品。

▼手無寸鐵的猴子——人類的祖先。人類沒有像其他動物一樣具有尖銳的爪或牙來防衛自己。在那蠻荒的時代中人類若在黑暗中看到野獸白白發亮的牙齒，那是如何的害怕。所以，那些與野獸打鬥戰勝的人，會把牠的牙齒拔起來掛在胸前，當作勇敢的標誌，同時也象徵著野獸強大、神祕的力量，而把它當成為護身符。

▼動物的這種大牙齒，相當於我們人類的犬齒。在獅子、老虎、狼等這些食肉動物這大牙是較為發達的。而這牙齒的功能是隨著下巴強大的力量，把肉撕開來。

▼除了這些食肉以外的動物，例如，大象、河馬、野豬，牠們都長有很大的牙，而他們是利用這大牙來挖

土、剝樹皮或者打架時用。

▼也有一些魚的牙齒非常銳利，如住在海裡的青鮫，及住在亞馬遜河的比拉尼亞魚。牠們的牙齒也像動物的大牙一樣銳利，對於二公尺長的金槍魚，牠能夠一口就咬斷，甚至連用鋼鐵做成很粗的吊鉤也能咬斷。可見得牠牙齒與下巴的力量是多麽的大。聽說有一些生活在海上的船員們都是利用鮫魚的牙齒來刮鬍子。

▼大牙，可說是動物的武器，但是有一些由於長的太長、太大而不實用的也有。如犬瑪及劍齒虎等這類動物，及古生代末期的獸形爬蟲類等，也遭遇到上面同樣的命運而絕種了。

▼有一位叫傑克倫敦的人，他寫了一本有關動物的名著——「白牙」。這故事是以一隻叫白牙的雪橇狗為主角，牠是狼與狗的混血兒。其內容是描述這隻「白牙」在阿拉斯加如何與大自然中的雪、冰奮鬥生存的經過，又如何與主人在這冰天雪地的寒冷地方共同奮鬥生活。希望你能看看這本小說。

大白牙

72

無色無味的強烈毒氣——代表恐怖的白

▼你知道有一種白色的劇毒嗎？它的顏色並不很白，且無色無臭，能悄悄的飄到你身邊，那就是一氧化碳。很早以前汽車所排出來的氣體就含有這種毒氣，因此危害了大衆的健康，於是根植在人們心目中的——白就是恐怖。

一氧化碳——CO，比空氣還輕，燃燒時會產生藍色火焰，這種白色劇烈毒氣在空氣中如果佔有萬分之三的成分，就能使人發生頭痛、噁心的現象。如果成分增加到千分之二就能致人於死，如果再增加為百分之一，人就會立刻死亡。

成分相同的二氧化碳——CO_2，在空氣中含有萬分之三，而在我們呼出的氣體中含有百分五～十的分量，但我們並沒有發生中毒現象。這是什麽道理呢？

▼一氧化碳有白毒之稱是因為它具有強烈的還原作用。CO_2由一分碳配合二分氧所結合而成，是非常安定的氣體。而CO因少了一分氧顯示不安定的狀態，當它

進入人體時，便立刻與血紅素結合，使血紅素失去機能，無法吸收氧氣補充身體的需要，在缺乏氧氣的狀況下，腦神經逐漸失去效用，以至死亡。輕微的一氧化碳中毒，身體會起紅色斑點或局部發紅。

▼白毒氣在第一次大戰中是光氣（Phosgen）的原料，加上以活性碳作觸發媒介，在高溫下使一氧化碳跟氯氣（Cl_2）發生作用成為氯化亞鈷（$CoCl_2$），它的味道類似枯乾的草木，是無色氣體，曾被用做第一次大戰中最有力的武器，它的殺滅力非常強大且無法控制，為今日國際法所禁止，所以我們都可以安心了！

▼白毒氣在哪種情況下會產生呢？當二氧化碳發生不完全燃燒時，多餘的碳會還原為一氧化碳，在都市裡，由於汽車排氣的關係，一氧化碳經常會出現，而且瓦斯、煤球在燃燒時也會發生同樣的現象，因此必須注意室內空氣的流通，雖然它的含量不多，卻能造成人體失眠、消化不良和貧血的現象。

白毒氣

73

美麗雪白的鳥禽——天鵝，自古以來就是人們最喜愛的動物，牠經常出現於綺麗的神話中

▼天鵝湖——柴可夫斯基（一八四〇—一八九三年）最得意的芭蕾舞曲之一，也是充滿甜美情感的抒情曲。但這個曲子在初期演唱時並沒有得到預期的效果，且在柴可夫斯基生前也未受到應有的評價！

▼故事中敍述北歐王子齊格菲（Siegfried）在舞會的前夕出外打獵，在森林中他遇見了被惡魔變為天鵝的奧利特公主。

藉著偉大的愛情力量魔咒解除了，他們約定在第二天的舞會上宣告婚約，但惡魔卻從中破壞，將自己的女兒扮成奧利特公主的模樣來欺騙王子。

事後王子非常悲憤，終於不顧一切的制服惡魔，使公主脫離魔掌，兩人過著快樂的生活。

▼天鵝由於外型的俊美受到大眾的喜愛是中西共有的現象，在日本有天鵝三陵，在西臘神話中有天鵝座，

在歐洲有化身為天鵝的英雄，而世界著名的丹麥詩人安徒生在「醜小鴨」童話集中描述天鵝之子醜小鴨是一隻與母親完全相反的茶褐色小鴨，但後來牠終於改變了醜陋的外表，成為美麗的天鵝，諸如這類的故事還有很多！

▼西方的諺語把「尋找黑天鵝」當做困難的比喻，事實上在澳洲要找到黑天鵝是很容易的！

天鵝

74 青春、理想、新潮而浪漫的白夜

▼「向廣大白色的空間出航吧！」這種美麗的幻想存在人類現實生活中自由自在的想像裡。而描寫這種美麗，浪漫的故事就是德士特夫斯基的『白夜』。

▼在某個夏天的白夜，一位青年愛上了運河河畔的少女，在保持友誼的條件下，少女答應明日再見。

娜千斯嘉自幼失去父母，跟著祖母相依為命，以房租的收入來維持生活，透過文學的共同喜好，她與年輕的房客發生了一段美麗的愛情故事。

後來，青年因工作遠去莫斯科，一年過去了，他始終沒有回來……。

二人在白夜的街道上走著，青年細聽著少女的往事，刹那間有一位少年擦身而過，少女叫道：「就是他」，於是飛奔而去，不再回顧。

▼年輕人自由飛翔的心志和幻想是無法在現實生活

德士特夫斯基

中立下穩固基礎的。充滿幻想的白夜能在喜悅時發放光彩，但因為基礎薄弱而在一瞬間變化無常。

特夫斯基是十九世紀蘇俄的文學家，他的作品有『罪與罰』『布萊德兄弟』等，『白夜』是他早期的作品，堪與其他作品同稱傑作，是值得一讀的好書。

文學太美了
浪漫也太好了！
總之這是不討人喜歡
的男人所說的話

白夜

75

使人感動的禮物——白花，它代表著什麼呢？

▼不善於言語、文詞的你，不敢輕易寫情書，真是苦惱萬分，如果美麗的花能代你傳達情意，你會採取什麼步調呢？我想用花來表達你的心意是相當有效的。

▼在畢業典禮時，你想對男老師表達敬意可送給他木蓮花，它代表尊敬和勿忘我。如果男士想對女士表達愛意可送山查子，它代表純真的慕情。

▼白花代表純潔，現在我們一起來看看各種不同的白花所代表不同的意義。

生長在野外的**百合花**，被西方人視為聖母瑪利亞的純潔，在結婚典禮上它代表新娘的甜美、芳香與純潔。

梔子花代表純潔、謹慎、謙虛。

水仙花則代表希臘神話中，愛戀自己水中倒影而溺死的美少年南西撒斯（Narcissus）的自我愛。

康乃馨則代表感謝、懷念。

橄欖花則源自諾亞洪水的故事，所以代表了和平、安全。白詰花是勤勉、幸福的代表。

紫丁香表示青春的天真、活潑和喜悅。

白梅表示高雅的氣質。

鈴蘭表示希望、幸福。

▼其實這些花所代表的意義如果只有送者知道是沒用的，受者如果完全不知道花的意義，那你不知送一朵白色鬱金香，對受者來說表示的可是憂傷與失意！

白花所代表的意義

11. 性格測驗⑪ 敲開內心玄機	淺野八郎著	140元
12. 性格測驗⑫ 透視你的未來	淺野八郎著	160元
13. 血型與你的一生	淺野八郎著	160元
14. 趣味推理遊戲	淺野八郎著	160元
15. 行為語言解析	淺野八郎著	160元

・婦幼天地・電腦編號16

1. 八萬人減肥成果	黃靜香譯	180元
2. 三分鐘減肥體操	楊鴻儒譯	150元
3. 窈窕淑女美髮秘訣	柯素娥譯	130元
4. 使妳更迷人	成　玉譯	130元
5. 女性的更年期	官舒妍編譯	160元
6. 胎內育兒法	李玉瓊編譯	150元
7. 早產兒袋鼠式護理	唐岱蘭譯	200元
8. 初次懷孕與生產	婦幼天地編譯組	180元
9. 初次育兒12個月	婦幼天地編譯組	180元
10. 斷乳食與幼兒食	婦幼天地編譯組	180元
11. 培養幼兒能力與性向	婦幼天地編譯組	180元
12. 培養幼兒創造力的玩具與遊戲	婦幼天地編譯組	180元
13. 幼兒的症狀與疾病	婦幼天地編譯組	180元
14. 腿部苗條健美法	婦幼天地編譯組	180元
15. 女性腰痛別忽視	婦幼天地編譯組	150元
16. 舒展身心體操術	李玉瓊編譯	130元
17. 三分鐘臉部體操	趙薇妮著	160元
18. 生動的笑容表情術	趙薇妮著	160元
19. 心曠神怡減肥法	川津祐介著	130元
20. 內衣使妳更美麗	陳玄茹譯	130元
21. 瑜伽美姿美容	黃靜香編著	180元
22. 高雅女性裝扮學	陳珮玲譯	180元
23. 蠶糞肌膚美顏法	坂梨秀子著	160元
24. 認識妳的身體	李玉瓊譯	160元
25. 產後恢復苗條體態	居理安・芙萊喬著	200元
26. 正確護髮美容法	山崎伊久江著	180元
27. 安琪拉美姿養生學	安琪拉蘭斯博瑞著	180元
28. 女體性醫學剖析	增田豐著	220元
29. 懷孕與生產剖析	岡部綾子著	180元
30. 斷奶後的健康育兒	東城百合子著	220元
31. 引出孩子幹勁的責罵藝術	多湖輝著	170元
32. 培養孩子獨立的藝術	多湖輝著	170元
33. 子宮肌瘤與卵巢囊腫	陳秀琳編著	180元
34. 下半身減肥法	納他夏・史達賓著	180元
35. 女性自然美容法	吳雅菁編著	180元
36. 再也不發胖	池園悅太郎著	170元

37. 生男生女控制術　中垣勝裕著　220 元
38. 使妳的肌膚更亮麗　楊　皓編著　170 元
39. 臉部輪廓變美　芝崎義夫著　180 元
40. 斑點、皺紋自己治療　高須克彌著　180 元
41. 面皰自己治療　伊藤雄康著　180 元
42. 隨心所欲瘦身冥想法　原久子著　180 元
43. 胎兒革命　鈴木丈織著　180 元
44. NS 磁氣平衡法塑造窈窕奇蹟　古屋和江著　180 元
45. 享瘦從腳開始　山田陽子著　180 元
46. 小改變瘦 4 公斤　宮本裕子著　180 元
47. 軟管減肥瘦身　高橋輝男著　180 元
48. 海藻精神秘美容法　劉名揚編著　180 元
49. 肌膚保養與脫毛　鈴木真理著　180 元
50. 10 天減肥 3 公斤　彤雲編輯組　180 元
51. 穿出自己的品味　西村玲子著　280 元

・青春天地・電腦編號 17

1. A 血型與星座　柯素娥編譯　160 元
2. B 血型與星座　柯素娥編譯　160 元
3. O 血型與星座　柯素娥編譯　160 元
4. AB 血型與星座　柯素娥編譯　120 元
5. 青春期性教室　呂貴嵐編譯　130 元
6. 事半功倍讀書法　王毅希編譯　150 元
7. 難解數學破題　宋釗宜編譯　130 元
9. 小論文寫作秘訣　林顯茂編譯　120 元
11. 中學生野外遊戲　熊谷康編著　120 元
12. 恐怖極短篇　柯素娥編譯　130 元
13. 恐怖夜話　小毛驢編譯　130 元
14. 恐怖幽默短篇　小毛驢編譯　120 元
15. 黑色幽默短篇　小毛驢編譯　120 元
16. 靈異怪談　小毛驢編譯　130 元
17. 錯覺遊戲　小毛驢編著　130 元
18. 整人遊戲　小毛驢編著　150 元
19. 有趣的超常識　柯素娥編譯　130 元
20. 哦！原來如此　林慶旺編譯　130 元
21. 趣味競賽 100 種　劉名揚編譯　120 元
22. 數學謎題入門　宋釗宜編譯　150 元
23. 數學謎題解析　宋釗宜編譯　150 元
24. 透視男女心理　林慶旺編譯　120 元
25. 少女情懷的自白　李桂蘭編譯　120 元
26. 由兄弟姊妹看命運　李玉瓊編譯　130 元
27. 趣味的科學魔術　林慶旺編譯　150 元
28. 趣味的心理實驗室　李燕玲編譯　150 元

29. 愛與性心理測驗	小毛驢編譯	130 元
30. 刑案推理解謎	小毛驢編譯	130 元
31. 偵探常識推理	小毛驢編譯	130 元
32. 偵探常識解謎	小毛驢編譯	130 元
33. 偵探推理遊戲	小毛驢編譯	130 元
34. 趣味的超魔術	廖玉山編著	150 元
35. 趣味的珍奇發明	柯素娥編著	150 元
36. 登山用具與技巧	陳瑞菊編著	150 元
37. 性的漫談	蘇燕謀編著	180 元
38. 無的漫談	蘇燕謀編著	180 元
39. 黑色漫談	蘇燕謀編著	180 元
40. 白色漫談	蘇燕謀編著	180 元

・健 康 天 地・電腦編號 18

1. 壓力的預防與治療	柯素娥編譯	130 元
2. 超科學氣的魔力	柯素娥編譯	130 元
3. 尿療法治病的神奇	中尾良一著	130 元
4. 鐵證如山的尿療法奇蹟	廖玉山譯	120 元
5. 一日斷食健康法	葉慈容編譯	150 元
6. 胃部強健法	陳炳崑譯	120 元
7. 癌症早期檢查法	廖松濤譯	160 元
8. 老人痴呆症防止法	柯素娥編譯	130 元
9. 松葉汁健康飲料	陳麗芬編譯	130 元
10. 揉肚臍健康法	永井秋夫著	150 元
11. 過勞死、猝死的預防	卓秀貞編譯	130 元
12. 高血壓治療與飲食	藤山順豐著	150 元
13. 老人看護指南	柯素娥編譯	150 元
14. 美容外科淺談	楊啟宏著	150 元
15. 美容外科新境界	楊啟宏著	150 元
16. 鹽是天然的醫生	西英司郎著	140 元
17. 年輕十歲不是夢	梁瑞麟譯	200 元
18. 茶料理治百病	桑野和民著	180 元
19. 綠茶治病寶典	桑野和民著	150 元
20. 杜仲茶養顏減肥法	西田博著	150 元
21. 蜂膠驚人療效	瀨長良三郎著	180 元
22. 蜂膠治百病	瀨長良三郎著	180 元
23. 醫藥與生活㈠	鄭炳全著	180 元
24. 鈣長生寶典	落合敏著	180 元
25. 大蒜長生寶典	木下繁太郎著	160 元
26. 居家自我健康檢查	石川恭三著	160 元
27. 永恆的健康人生	李秀鈴譯	200 元
28. 大豆卵磷脂長生寶典	劉雪卿譯	150 元
29. 芳香療法	梁艾琳譯	160 元

30. 醋長生寶典	柯素娥譯	180元
31. 從星座透視健康	席拉・吉蒂斯著	180元
32. 愉悅自在保健學	野本二士夫著	160元
33. 裸睡健康法	丸山淳士等著	160元
34. 糖尿病預防與治療	藤田順豐著	180元
35. 維他命長生寶典	菅原明子著	180元
36. 維他命C新效果	鐘文訓編	150元
37. 手、腳病理按摩	堤芳朗著	160元
38. AIDS瞭解與預防	彼得塔歇爾著	180元
39. 甲殼質殼聚糖健康法	沈永嘉譯	160元
40. 神經痛預防與治療	木下真男著	160元
41. 室內身體鍛鍊法	陳炳崑編著	160元
42. 吃出健康藥膳	劉大器編著	180元
43. 自我指壓術	蘇燕謀編著	160元
44. 紅蘿蔔汁斷食療法	李玉瓊編著	150元
45. 洗心術健康秘法	竺翠萍編譯	170元
46. 枇杷葉健康療法	柯素娥編譯	180元
47. 抗衰血癒	楊啟宏著	180元
48. 與癌搏鬥記	逸見政孝著	180元
49. 冬蟲夏草長生寶典	高橋義博著	170元
50. 痔瘡・大腸疾病先端療法	宮島伸宜著	180元
51. 膠布治癒頑固慢性病	加瀨建造著	180元
52. 芝麻神奇健康法	小林貞作著	170元
53. 香煙能防止癡呆？	高田明和著	180元
54. 穀菜食治癌療法	佐藤成志著	180元
55. 貼藥健康法	松原英多著	180元
56. 克服癌症調和道呼吸法	帶津良一著	180元
57. B型肝炎預防與治療	野村喜重郎著	180元
58. 青春永駐養生導引術	早島正雄著	180元
59. 改變呼吸法創造健康	原久子著	180元
60. 荷爾蒙平衡養生秘訣	出村博著	180元
61. 水美肌健康法	井戶勝富著	170元
62. 認識食物掌握健康	廖梅珠編著	170元
63. 痛風劇痛消除法	鈴木吉彥著	180元
64. 酸莖菌驚人療效	上田明彥著	180元
65. 大豆卵磷脂治現代病	神津健一著	200元
66. 時辰療法—危險時刻凌晨4時	呂建強等著	180元
67. 自然治癒力提升法	帶津良一著	180元
68. 巧妙的氣保健法	藤平墨子著	180元
69. 治癒C型肝炎	熊田博光著	180元
70. 肝臟病預防與治療	劉名揚編著	180元
71. 腰痛平衡療法	荒井政信著	180元
72. 根治多汗症、狐臭	稻葉益巳著	220元
73. 40歲以後的骨質疏鬆症	沈永嘉譯	180元

74. 認識中藥　松下一成著　180 元
75. 認識氣的科學　佐佐木茂美著　180 元
76. 我戰勝了癌症　安田伸著　180 元
77. 斑點是身心的危險信號　中野進著　180 元
78. 艾波拉病毒大震撼　玉川重德著　180 元
79. 重新還我黑髮　桑名隆一郎著　180 元
80. 身體節律與健康　林博史著　180 元
81. 生薑治萬病　石原結實著　180 元
82. 靈芝治百病　陳瑞東著　180 元
83. 木炭驚人的威力　大槻彰著　200 元
84. 認識活性氧　井土貴司著　180 元
85. 深海鮫治百病　廖玉山編著　180 元
86. 神奇的蜂王乳　井上丹治著　180 元
87. 卡拉 OK 健腦法　東潔著　180 元
88. 卡拉 OK 健康法　福田伴男著　180 元
89. 醫藥與生活(二)　鄭炳全著　200 元
90. 洋蔥治百病　宮尾興平著　180 元
91. 年輕 10 歲快步健康法　石塚忠雄著　180 元
92. 石榴的驚人神效　岡本順子著　180 元
93. 飲料健康法　白鳥早奈英著　180 元
94. 健康棒體操　劉名揚編譯　180 元
95. 催眠健康法　蕭京凌編著　180 元

・實用女性學講座・電腦編號 19

1. 解讀女性內心世界　島田一男著　150 元
2. 塑造成熟的女性　島田一男著　150 元
3. 女性整體裝扮學　黃靜香編著　180 元
4. 女性應對禮儀　黃靜香編著　180 元
5. 女性婚前必修　小野十傳著　200 元
6. 徹底瞭解女人　田口二州著　180 元
7. 拆穿女性謊言 88 招　島田一男著　200 元
8. 解讀女人心　島田一男著　200 元
9. 俘獲女性絕招　志賀貢著　200 元
10. 愛情的壓力解套　中村理英子著　200 元
11. 妳是人見人愛的女孩　廖松濤編著　200 元

・校園系列・電腦編號 20

1. 讀書集中術　多湖輝著　150 元
2. 應考的訣竅　多湖輝著　150 元
3. 輕鬆讀書贏得聯考　多湖輝著　150 元
4. 讀書記憶秘訣　多湖輝著　150 元

5. 視力恢復！超速讀術	江錦雲譯	180元
6. 讀書 36 計	黃柏松編著	180元
7. 驚人的速讀術	鐘文訓編著	170元
8. 學生課業輔導良方	多湖輝著	180元
9. 超速讀超記憶法	廖松濤編著	180元
10. 速算解題技巧	宋釗宜編著	200元
11. 看圖學英文	陳炳崑編著	200元
12. 讓孩子最喜歡數學	沈永嘉譯	180元
13. 催眠記憶術	林碧清譯	180元

・實用心理學講座・電腦編號 21

1. 拆穿欺騙伎倆	多湖輝著	140元
2. 創造好構想	多湖輝著	140元
3. 面對面心理術	多湖輝著	160元
4. 偽裝心理術	多湖輝著	140元
5. 透視人性弱點	多湖輝著	140元
6. 自我表現術	多湖輝著	180元
7. 不可思議的人性心理	多湖輝著	180元
8. 催眠術入門	多湖輝著	150元
9. 責罵部屬的藝術	多湖輝著	150元
10. 精神力	多湖輝著	150元
11. 厚黑說服術	多湖輝著	150元
12. 集中力	多湖輝著	150元
13. 構想力	多湖輝著	150元
14. 深層心理術	多湖輝著	160元
15. 深層語言術	多湖輝著	160元
16. 深層說服術	多湖輝著	180元
17. 掌握潛在心理	多湖輝著	160元
18. 洞悉心理陷阱	多湖輝著	180元
19. 解讀金錢心理	多湖輝著	180元
20. 拆穿語言圈套	多湖輝著	180元
21. 語言的內心玄機	多湖輝著	180元
22. 積極力	多湖輝著	180元

・超現實心理講座・電腦編號 22

1. 超意識覺醒法	詹蔚芬編譯	130元
2. 護摩秘法與人生	劉名揚編譯	130元
3. 秘法！超級仙術入門	陸明譯	150元
4. 給地球人的訊息	柯素娥編著	150元
5. 密教的神通力	劉名揚編著	130元
6. 神秘奇妙的世界	平川陽一著	200元

7.	地球文明的超革命	吳秋嬌譯	200 元
8.	力量石的秘密	吳秋嬌譯	180 元
9.	超能力的靈異世界	馬小莉譯	200 元
10.	逃離地球毀滅的命運	吳秋嬌譯	200 元
11.	宇宙與地球終結之謎	南山宏著	200 元
12.	驚世奇功揭秘	傅起鳳著	200 元
13.	啟發身心潛力心象訓練法	栗田昌裕著	180 元
14.	仙道術遁甲法	高藤聰一郎著	220 元
15.	神通力的秘密	中岡俊哉著	180 元
16.	仙人成仙術	高藤聰一郎著	200 元
17.	仙道符咒氣功法	高藤聰一郎著	220 元
18.	仙道風水術尋龍法	高藤聰一郎著	200 元
19.	仙道奇蹟超幻像	高藤聰一郎著	200 元
20.	仙道鍊金術房中法	高藤聰一郎著	200 元
21.	奇蹟超醫療治癒難病	深野一幸著	220 元
22.	揭開月球的神秘力量	超科學研究會	180 元
23.	西藏密教奧義	高藤聰一郎著	250 元
24.	改變你的夢術入門	高藤聰一郎著	250 元

・養 生 保 健・ 電腦編號 23

1.	醫療養生氣功	黃孝寬著	250 元
2.	中國氣功圖譜	余功保著	230 元
3.	少林醫療氣功精粹	井玉蘭著	250 元
4.	龍形實用氣功	吳大才等著	220 元
5.	魚戲增視強身氣功	宮　嬰著	220 元
6.	嚴新氣功	前新培金著	250 元
7.	道家玄牝氣功	張　章著	200 元
8.	仙家秘傳袪病功	李遠國著	160 元
9.	少林十大健身功	秦慶豐著	180 元
10.	中國自控氣功	張明武著	250 元
11.	醫療防癌氣功	黃孝寬著	250 元
12.	醫療強身氣功	黃孝寬著	250 元
13.	醫療點穴氣功	黃孝寬著	250 元
14.	中國八卦如意功	趙維漢著	180 元
15.	正宗馬禮堂養氣功	馬禮堂著	420 元
16.	秘傳道家筋經內丹功	王慶餘著	280 元
17.	三元開慧功	辛桂林著	250 元
18.	防癌治癌新氣功	郭　林著	180 元
19.	禪定與佛家氣功修煉	劉天君著	200 元
20.	顛倒之術	梅自強著	360 元
21.	簡明氣功辭典	吳家駿編	360 元
22.	八卦三合功	張全亮著	230 元
23.	朱砂掌健身養生功	楊永著	250 元

24. 抗老功　陳九鶴著　230 元
25. 意氣按穴排濁自療法　黃啟運編著　250 元
26. 陳式太極拳養生功　陳正雷著　200 元
27. 健身祛病小功法　王培生著　200 元

・社會人智囊・電腦編號 24

1. 糾紛談判術　清水增三著　160 元
2. 創造關鍵術　淺野八郎著　150 元
3. 觀人術　淺野八郎著　180 元
4. 應急詭辯術　廖英迪編著　160 元
5. 天才家學習術　木原武一著　160 元
6. 貓型狗式鑑人術　淺野八郎著　180 元
7. 逆轉運掌握術　淺野八郎著　180 元
8. 人際圓融術　澀谷昌三著　160 元
9. 解讀人心術　淺野八郎著　180 元
10. 與上司水乳交融術　秋元隆司著　180 元
11. 男女心態定律　小田晉著　180 元
12. 幽默說話術　林振輝編著　200 元
13. 人能信賴幾分　淺野八郎著　180 元
14. 我一定能成功　李玉瓊譯　180 元
15. 獻給青年的嘉言　陳蒼杰譯　180 元
16. 知人、知面、知其心　林振輝編著　180 元
17. 塑造堅強的個性　坂上肇著　180 元
18. 為自己而活　佐藤綾子著　180 元
19. 未來十年與愉快生活有約　船井幸雄著　180 元
20. 超級銷售話術　杜秀卿譯　180 元
21. 感性培育術　黃靜香編著　180 元
22. 公司新鮮人的禮儀規範　蔡媛惠譯　180 元
23. 傑出職員鍛鍊術　佐佐木正著　180 元
24. 面談獲勝戰略　李芳黛譯　180 元
25. 金玉良言撼人心　森純大著　180 元
26. 男女幽默趣典　劉華亭編著　180 元
27. 機智說話術　劉華亭編著　180 元
28. 心理諮商室　柯素娥譯　180 元
29. 如何在公司崢嶸頭角　佐佐木正著　180 元
30. 機智應對術　李玉瓊編著　200 元
31. 克服低潮良方　坂野雄二著　180 元
32. 智慧型說話技巧　沈永嘉編著　180 元
33. 記憶力、集中力增進術　廖松濤編著　180 元
34. 女職員培育術　林慶旺編著　180 元
35. 自我介紹與社交禮儀　柯素娥編著　180 元
36. 積極生活創幸福　田中真澄著　180 元
37. 妙點子超構想　多湖輝著　180 元

38. 說NO的技巧	廖玉山編著	180元
39. 一流說服力	李玉瓊編著	180元
40. 般若心經成功哲學	陳鴻蘭編著	180元
41. 訪問推銷術	黃靜香編著	180元
42. 男性成功秘訣	陳蒼杰編著	180元
43. 笑容、人際智商	宮川澄子著	180元
44. 多湖輝的構想工作室	多湖輝著	200元
45. 名人名語啟示錄	喬家楓著	180元

・精 選 系 列・電腦編號25

1. 毛澤東與鄧小平	渡邊利夫等著	280元
2. 中國大崩裂	江戶介雄著	180元
3. 台灣・亞洲奇蹟	上村幸治著	220元
4. 7-ELEVEN高盈收策略	國友隆一著	180元
5. 台灣獨立（新・中國日本戰爭一）	森詠著	200元
6. 迷失中國的末路	江戶雄介著	220元
7. 2000年5月全世界毀滅	紫藤甲子男著	180元
8. 失去鄧小平的中國	小島朋之著	220元
9. 世界史爭議性異人傳	桐生操著	200元
10. 淨化心靈享人生	松濤弘道著	220元
11. 人生心情診斷	賴藤和寬著	220元
12. 中美大決戰	檜山良昭著	220元
13. 黃昏帝國美國	莊雯琳譯	220元
14. 兩岸衝突（新・中國日本戰爭二）	森詠著	220元
15. 封鎖台灣（新・中國日本戰爭三）	森詠著	220元
16. 中國分裂（新・中國日本戰爭四）	森詠著	220元
17. 由女變男的我	虎井正衛著	200元
18. 佛學的安心立命	松濤弘道著	220元
19. 世界喪禮大觀	松濤弘道著	280元

・運 動 遊 戲・電腦編號26

1. 雙人運動	李玉瓊譯	160元
2. 愉快的跳繩運動	廖玉山譯	180元
3. 運動會項目精選	王佑京譯	150元
4. 肋木運動	廖玉山譯	150元
5. 測力運動	王佑宗譯	150元
6. 游泳入門	唐桂萍編著	200元

・休 閒 娛 樂・電腦編號27

1. 海水魚飼養法	田中智浩著	300元

2. 金魚飼養法 曾雪玫譯 250元
3. 熱門海水魚 毛利匡明著 480元
4. 愛犬的教養與訓練 池田好雄著 250元
5. 狗教養與疾病 杉浦哲著 220元
6. 小動物養育技巧 三上昇著 300元
20. 園藝植物管理 船越亮二著 220元

・銀髮族智慧學・電腦編號 28

1. 銀髮六十樂逍遙 多湖輝著 170元
2. 人生六十反年輕 多湖輝著 170元
3. 六十歲的決斷 多湖輝著 170元
4. 銀髮族健身指南 孫瑞台編著 250元

・飲 食 保 健・電腦編號 29

1. 自己製作健康茶 大海淳著 220元
2. 好吃、具藥效茶料理 德永睦子著 220元
3. 改善慢性病健康藥草茶 吳秋嬌譯 200元
4. 藥酒與健康果菜汁 成玉編著 250元
5. 家庭保健養生湯 馬汴梁編著 220元
6. 降低膽固醇的飲食 早川和志著 200元
7. 女性癌症的飲食 女子營養大學 280元
8. 痛風者的飲食 女子營養大學 280元
9. 貧血者的飲食 女子營養大學 280元
10. 高脂血症者的飲食 女子營養大學 280元
11. 男性癌症的飲食 女子營養大學 280元
12. 過敏者的飲食 女子營養大學 280元
13. 心臟病的飲食 女子營養大學 280元
14. 滋陰壯陽的飲食 王增著 220元

・家庭醫學保健・電腦編號 30

1. 女性醫學大全 雨森良彥著 380元
2. 初為人父育兒寶典 小瀧周曹著 220元
3. 性活力強健法 相建華著 220元
4. 30 歲以上的懷孕與生產 李芳黛編著 220元
5. 舒適的女性更年期 野末悅子著 200元
6. 夫妻前戲的技巧 笠井寬司著 200元
7. 病理足穴按摩 金慧明著 220元
8. 爸爸的更年期 河野孝旺著 200元
9. 橡皮帶健康法 山田晶著 180元
10. 三十三天健美減肥 相建華等著 180元

11. 男性健美入門　孫玉祿編著　180 元
12. 強化肝臟秘訣　主婦の友社編　200 元
13. 了解藥物副作用　張果馨譯　200 元
14. 女性醫學小百科　松山榮吉著　200 元
15. 左轉健康法　龜田修等著　200 元
16. 實用天然藥物　鄭炳全編著　260 元
17. 神秘無痛平衡療法　林宗駛著　180 元
18. 膝蓋健康法　張果馨譯　180 元
19. 針灸治百病　葛書翰著　250 元
20. 異位性皮膚炎治癒法　吳秋嬌譯　220 元
21. 禿髮白髮預防與治療　陳炳崑編著　180 元
22. 埃及皇宮菜健康法　飯森薰著　200 元
23. 肝臟病安心治療　上野幸久著　220 元
24. 耳穴治百病　陳抗美等著　250 元
25. 高效果指壓法　五十嵐康彥著　200 元
26. 瘦水、胖水　鈴木園子著　200 元
27. 手針新療法　朱振華著　200 元
28. 香港腳預防與治療　劉小惠譯　200 元
29. 智慧飲食吃出健康　柯富陽編著　200 元
30. 牙齒保健法　廖玉山編著　200 元
31. 恢復元氣養生食　張果馨譯　200 元
32. 特效推拿按摩術　李玉田著　200 元
33. 一週一次健康法　若狹真著　200 元
34. 家常科學膳食　大塚滋著　220 元
35. 夫妻們關心的男性不孕　原利夫著　220 元
36. 自我瘦身美容　馬野詠子著　200 元
37. 魔法姿勢益健康　五十嵐康彥著　200 元
38. 眼病錘療法　馬栩周著　200 元
39. 預防骨質疏鬆症　藤田拓男著　200 元
40. 骨質增生效驗方　李吉茂編著　250 元
41. 蕺菜健康法　小林正夫著　200 元
42. 赧於啟齒的男性煩惱　增田豐著　220 元
43. 簡易自我健康檢查　稻葉允著　250 元
44. 實用花草健康法　友田純子著　200 元
45. 神奇的手掌療法　日比野喬著　230 元
46. 家庭式三大穴道療法　刑部忠和著　200 元
47. 子宮癌、卵巢癌　岡島弘幸著　220 元
48. 糖尿病機能性食品　劉雪卿編著　220 元
49. 奇蹟活現經脈美容法　林振輝編譯　200 元
50. Super SEX　秋好憲一著　220 元
51. 了解避孕丸　林玉佩譯　200 元

・超經營新智慧・電腦編號 31

1. 躍動的國家越南　林雅倩譯　250 元
2. 甦醒的小龍菲律賓　林雅倩譯　220 元
3. 中國的危機與商機　中江要介著　250 元
4. 在印度的成功智慧　山內利男著　220 元
5. 7-ELEVEN 大革命　村上豐道著　200 元
6. 業務員成功秘方　呂育清編著　200 元

・心 靈 雅 集・電腦編號 00

1. 禪言佛語看人生　松濤弘道著　180 元
2. 禪密教的奧秘　葉逯謙譯　120 元
3. 觀音大法力　田口日勝著　120 元
4. 觀音法力的大功德　田口日勝著　120 元
5. 達摩禪 106 智慧　劉華亭編譯　220 元
6. 有趣的佛教研究　葉逯謙編譯　170 元
7. 夢的開運法　蕭京凌譯　130 元
8. 禪學智慧　柯素娥編譯　130 元
9. 女性佛教入門　許俐萍譯　110 元
10. 佛像小百科　心靈雅集編譯組　130 元
11. 佛教小百科趣談　心靈雅集編譯組　120 元
12. 佛教小百科漫談　心靈雅集編譯組　150 元
13. 佛教知識小百科　心靈雅集編譯組　150 元
14. 佛學名言智慧　松濤弘道著　220 元
15. 釋迦名言智慧　松濤弘道著　220 元
16. 活人禪　平田精耕著　120 元
17. 坐禪入門　柯素娥編譯　150 元
18. 現代禪悟　柯素娥編譯　130 元
19. 道元禪師語錄　心靈雅集編譯組　130 元
20. 佛學經典指南　心靈雅集編譯組　130 元
21. 何謂「生」阿含經　心靈雅集編譯組　150 元
22. 一切皆空　般若心經　心靈雅集編譯組　180 元
23. 超越迷惘　法句經　心靈雅集編譯組　130 元
24. 開拓宇宙觀　華嚴經　心靈雅集編譯組　180 元
25. 真實之道　法華經　心靈雅集編譯組　130 元
26. 自由自在　涅槃經　心靈雅集編譯組　130 元
27. 沈默的教示　維摩經　心靈雅集編譯組　150 元
28. 開通心眼　佛語佛戒　心靈雅集編譯組　130 元
29. 揭秘寶庫　密教經典　心靈雅集編譯組　180 元
30. 坐禪與養生　廖松濤譯　110 元
31. 釋尊十戒　柯素娥編譯　120 元
32. 佛法與神通　劉欣如編著　120 元

33. 悟（正法眼藏的世界）	柯素娥編譯	120元
34. 只管打坐	劉欣如編著	120元
35. 喬答摩・佛陀傳	劉欣如編著	120元
36. 唐玄奘留學記	劉欣如編著	120元
37. 佛教的人生觀	劉欣如編譯	110元
38. 無門關(上卷)	心靈雅集編譯組	150元
39. 無門關(下卷)	心靈雅集編譯組	150元
40. 業的思想	劉欣如編著	130元
41. 佛法難學嗎	劉欣如著	140元
42. 佛法實用嗎	劉欣如著	140元
43. 佛法殊勝嗎	劉欣如著	140元
44. 因果報應法則	李常傳編	180元
45. 佛教醫學的奧秘	劉欣如編著	150元
46. 紅塵絕唱	海　若著	130元
47. 佛教生活風情	洪丕謨、姜玉珍著	220元
48. 行住坐臥有佛法	劉欣如著	160元
49. 起心動念是佛法	劉欣如著	160元
50. 四字禪語	曹洞宗青年會	200元
51. 妙法蓮華經	劉欣如編著	160元
52. 根本佛教與大乘佛教	葉作森編	180元
53. 大乘佛經	定方晟著	180元
54. 須彌山與極樂世界	定方晟著	180元
55. 阿闍世的悟道	定方晟著	180元
56. 金剛經的生活智慧	劉欣如著	180元
57. 佛教與儒教	劉欣如編譯	180元
58. 佛教史入門	劉欣如編譯	180元
59. 印度佛教思想史	劉欣如編譯	200元
60. 佛教與女姓	劉欣如編譯	180元
61. 禪與人生	洪丕謨主編	260元

・經 營 管 理・電腦編號 01

◎ 創新經營管理六十六大計(精)	蔡弘文編	780元
1. 如何獲取生意情報	蘇燕謀譯	110元
2. 經濟常識問答	蘇燕謀譯	130元
4. 台灣商戰風雲錄	陳中雄著	120元
5. 推銷大王秘錄	原一平著	180元
6. 新創意・賺大錢	王家成譯	90元
7. 工廠管理新手法	琪　輝著	120元
10. 美國實業 24 小時	柯順隆譯	80元
11. 撼動人心的推銷法	原一平著	150元
12. 高竿經營法	蔡弘文編	120元
13. 如何掌握顧客	柯順隆譯	150元
17. 一流的管理	蔡弘文編	150元

18. 外國人看中韓經濟　劉華亭譯　150元
20. 突破商場人際學　林振輝編著　90元
22. 如何使女人打開錢包　林振輝編著　100元
24. 小公司經營策略　王嘉誠著　160元
25. 成功的會議技巧　鐘文訓編譯　100元
26. 新時代老闆學　黃柏松編著　100元
27. 如何創造商場智囊團　林振輝編譯　150元
28. 十分鐘推銷術　林振輝編譯　180元
29. 五分鐘育才　黃柏松編譯　100元
33. 自我經濟學　廖松濤編譯　100元
34. 一流的經營　陶田生編著　120元
35. 女性職員管理術　王昭國編譯　120元
36. ＩＢＭ的人事管理　鐘文訓編譯　150元
37. 現代電腦常識　王昭國編譯　150元
38. 電腦管理的危機　鐘文訓編譯　120元
39. 如何發揮廣告效果　王昭國編譯　150元
40. 最新管理技巧　王昭國編譯　150元
41. 一流推銷術　廖松濤編譯　150元
42. 包裝與促銷技巧　王昭國編譯　130元
43. 企業王國指揮塔　松下幸之助著　120元
44. 企業精鋭兵團　松下幸之助著　120元
45. 企業人事管理　松下幸之助著　100元
46. 華僑經商致富術　廖松濤編譯　130元
47. 豐田式銷售技巧　廖松濤編譯　180元
48. 如何掌握銷售技巧　王昭國編著　130元
50. 洞燭機先的經營　鐘文訓編譯　150元
52. 新世紀的服務業　鐘文訓編譯　100元
53. 成功的領導者　廖松濤編譯　120元
54. 女推銷員成功術　李玉瓊編譯　130元
55. ＩＢＭ人才培育術　鐘文訓編譯　100元
56. 企業人自我突破法　黃琪輝編著　150元
58. 財富開發術　蔡弘文編著　130元
59. 成功的店舖設計　鐘文訓編著　150元
61. 企管回春法　蔡弘文編著　130元
62. 小企業經營指南　鐘文訓編譯　100元
63. 商場致勝名言　鐘文訓編譯　150元
64. 迎接商業新時代　廖松濤編譯　100元
66. 新手股票投資入門　何朝乾編著　200元
67. 上揚股與下跌股　何朝乾編譯　180元
68. 股票速成學　何朝乾編譯　200元
69. 理財與股票投資策略　黃俊豪編著　180元
70. 黃金投資策略　黃俊豪編著　180元
71. 厚黑管理學　廖松濤編譯　180元
72. 股市致勝格言　呂梅莎編譯　180元

73. 透視西武集團	林谷燁編譯	150 元
76. 巡迴行銷術	陳蒼杰譯	150 元
77. 推銷的魔術	王嘉誠譯	120 元
78. 60 秒指導部屬	周蓮芬編譯	150 元
79. 精銳女推銷員特訓	李玉瓊編譯	130 元
80. 企劃、提案、報告圖表的技巧	鄭汶譯	180 元
81. 海外不動產投資	許達守編譯	150 元
82. 八百伴的世界策略	李玉瓊譯	150 元
83. 服務業品質管理	吳宜芬譯	180 元
84. 零庫存銷售	黃東謙編譯	150 元
85. 三分鐘推銷管理	劉名揚編譯	150 元
86. 推銷大王奮鬥史	原一平著	150 元
87. 豐田汽車的生產管理	林谷燁編譯	150 元

·成　功　寶　庫· 電腦編號 02

1. 上班族交際術	江森滋著	100 元
2. 拍馬屁訣竅	廖玉山編譯	110 元
4. 聽話的藝術	歐陽輝編譯	110 元
9. 求職轉業成功術	陳義編著	110 元
10. 上班族禮儀	廖玉山編著	120 元
11. 接近心理學	李玉瓊編著	100 元
12. 創造自信的新人生	廖松濤編著	120 元
15. 神奇瞬間瞑想法	廖松濤編譯	100 元
16. 人生成功之鑰	楊意苓編著	150 元
19. 給企業人的諍言	鐘文訓編著	120 元
20. 企業家自律訓練法	陳義編譯	100 元
21. 上班族妖怪學	廖松濤編著	100 元
22. 猶太人縱橫世界的奇蹟	孟佑政編著	110 元
25. 你是上班族中強者	嚴思圖編著	100 元
30. 成功頓悟 100 則	蕭京凌編譯	130 元
32. 知性幽默	李玉瓊編譯	130 元
33. 熟記對方絕招	黃靜香編譯	100 元
37. 察言觀色的技巧	劉華亭編著	180 元
38. 一流領導力	施義彥編譯	120 元
40. 30 秒鐘推銷術	廖松濤編譯	150 元
41. 猶太成功商法	周蓮芬編譯	120 元
42. 尖端時代行銷策略	陳蒼杰編著	100 元
43. 顧客管理學	廖松濤編著	100 元
44. 如何使對方說 Yes	程羲編著	150 元
47. 上班族口才學	楊鴻儒譯	120 元
48. 上班族新鮮人須知	程羲編著	120 元
49. 如何左右逢源	程羲編著	130 元
50. 語言的心理戰	多湖輝著	130 元

國家圖書館出版品預行編目資料

白色漫談／蘇燕謀編著
－初版－臺北市，大展，民 87
面；21 公分－（青春天地；40）

ISBN 957-557-881-3（平裝）
1. 雜錄

046 87013188

白色漫談 ISBN 957-557-881-3

編 著 者／蘇 燕 謀
發 行 人／蔡 森 明
出 版 者／大展出版社有限公司
社　　址／台北市北投區（石牌）致遠一路 2 段 12 巷 1 號
電　　話／(02) 28236031・28236033
傳　　真／(02) 28272069
郵政劃撥／0166955—1
登 記 證／局版臺業字第 2171 號
承 印 者／國順圖書印刷公司
裝　　訂／嶸興裝訂有限公司
排 版 者／千兵企業有限公司
電　　話／(02) 28812643
初版1刷／1998 年（民 87 年）12 月

定　　價／180 元

大展好書 好書大展